手にとるようにわかる

在庫管理入門

ムダのない在庫管理で利益を生み出す

芝田稔子

かんき出版

ブックデザイン◉遠藤陽一／高岩美智（デザインワークショップジン）
DTP◉安田浩也／野中 賢（株式会社システムタンク）

はじめに

「在庫管理」について、みなさんはどんなイメージをお持ちでしょうか。「ウチは小規模だから関係ない」と思っているとしたら、それはもったいない誤解です。

　在庫管理は、メーカーはもちろん、卸・小売などの流通業、ネットショップなど、リアルな形のある商品を扱っているならば、業種・規模を問わず、どんな会社でも必要な技術であり、地味ではありますが役に立ちます。

　もし、在庫管理をやったことがなかったとしたら、ぜひ、本書を読んでチャレンジしてみてください。倉庫がすっきりと片づいて使いやすくなったり、過剰在庫が減ってキャッシュフローがよくなったり、いいことが色々起こるはずです。

　この本は、在庫管理の初学者に向けて、考え方の基礎となる情報をとりまとめてお伝えするものです。適正在庫量の維持に必要な基本的な計算も含め、すべてオープンにしています。ですから、ご自身で、ご自身の会社の在庫状況についてシミュレーションを行ってみることも可能です。

「そうは言われても、自分で取り組むにはちょっとイメージしにくい……」という読者もいるかもしれません。そんな方のために、この本では、ガイド役として「いきなり会社の在庫管理を任されてしまった若手社員」である倉之助くんが登場します。彼が何に悩み、何に気付き、どう解決していったか、をストーリー形式で読むこと

で、読者の方々も、自社の在庫管理で不足していることなどのイメージがつきやすくなるはずです。

　本書の構成を説明しておきましょう。

　第1章で、みなさんのガイド役"倉之助くん"が登場します。倉之助くんには、「在庫管理の問題点を発見し、よりよい管理ができるよう課題を発見し、改善の方向性を検討する」というミッションが与えられています。

　倉之助くんは元・営業部。異動によってこれまでまったく縁のなかった在庫管理を担当することになり、さまざまな発見をしていきます。倉之助くんの活動をとおして、多くの企業において発生しがちな在庫管理の課題を整理していきます。

　これから在庫管理を始めようと考えている方、在庫管理はやっているもののうまくできていないとぼんやり感じている方、そんな方はまず第1章をお読みいただくとよいかと思います。

　第2章以降では、在庫管理の課題の各論を、どのように解決していくのか、その方法を提示していきます。すでに問題点が明確になっている読者の方は、第2章以降で、気になる部分をお読みいただければと思います。

　第2章は、「在庫とは何か」「在庫管理とは何をすることか」を説明しています。在庫管理をうまく行うとはどういうことなのか、イメージが明確になると思います。

　第3章は、「在庫管理をうまく行うこと＝適正在庫量を維持する」ための具体的な計算方法を解説しています。

　第4章では、「在庫管理を改善しよう」と思い立った方に向けて、まず自社の在庫管理レベルを知るところからスタートし、手順を

追って改善できるよう、説明しています。

　第5章では、在庫管理を継続するために必須と言ってもよい「情報システム」について紹介しています。在庫管理を実践するために効果的と思われる機能を挙げ、機能ごとに特長のあるシステムを紹介しています。システム導入の際や、自社開発のシステムの改良の際など、検討の第一歩、足がかりになればと思います。

　第6章では、今後の物流において想定される課題について紹介しています。物流危機や脱炭素など、物流には今後、さまざまな制約が押し寄せます。そんななか、在庫管理の重要性は益々高まっていくと想定されます。

　在庫管理は会社の利益を増やすだけでなく、余分なゴミを減らすことにもつながり、現代に必須のマネジメントであると言えます。業種を問わず通用するスキルでもあるので、在庫管理テクニックを磨くことで、どんな会社でも活躍できる人材になる道も開けるかもしれません。

　本書が読者のみなさまのお役に立てば大変嬉しく思います。

2023年1月

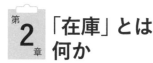

第2章 「在庫」とは何か

第3章 在庫量のコントロールを いかに成功させるか

第4章 ムダをなくし利益を生み出す 在庫管理改善へのステップ

第5章 在庫管理システムの特徴と活用事例

第6章 これからの物流と在庫管理

5 │ SDGs、カーボンニュートラルと在庫 │

第1章

もしも在庫管理を
任されたら

在庫の「実態」とは

在庫管理システムはある?

　入社5年目になる倉之助くんは9月付けで本社物流部に配属されることになりました。これまで営業職だった彼は、物流部の仕事にまったく見当がつきません。物流部に出社して上司に告げられたのは「わが社では今、在庫管理を改善しなければならないと思っている。古い常識に囚われず、新しい視点で問題点を発見し、改善の方向性を見つけ出してほしい」というひと言でした。

　倉之助くんは、「改善のためにはまず実態把握から」と社内研修で学んだことを思い出し、「在庫」の実態把握を行うことにしました。
　社内ネットワークの中に「在庫管理システム」があることを知っていた彼は、中の情報を確認してみました。「在庫管理システム」なのだから、そこを見れば在庫を管理するための情報はすべて入っているだろうと思ったのです。

そこにある在庫の数だけ見ても判断できない

「在庫管理システム」を開いた倉之助くんは、営業活動の中でよく欠品して困った商品の在庫状況を調べてみました。予想どおり、ほとんど在庫がない商品もある一方で、かなりの量がある商品もありました。

図　よく欠品していた商品の在庫状況

商品No.	商品名	在庫数量
111	最高のステーキソース	3
288	コスパ最高のドレッシング	300

　倉之助くんは２つの商品の売れ方を思い出してみました。「最高のステーキソース」は取扱商品のうち比較的高額で、受注する時はほぼ１個ずつでした。一方、「コスパ最高のドレッシング」はセール対象になることも多く、受注は150個を超えることも多くありました。

　これらの商品は倉之助くん担当の顧客しか扱っていませんでした。売れ方を考慮すると、「最高のステーキソース」は３個しか在庫がありませんが、ほぼ１個ずつの受注とすれば「３日分」あると言えます。

在庫量「３」個÷１日当たり注文数「１」個＝「３」日分

「コスパ最高のドレッシング」は「300個」在庫がありますが、150個超の受注が多い状況からすれば、「２日分」よりも少ない量しかないことになります。

在庫量「300」個÷１日当たり注文数「150」個＝「２」日分

　倉之助くんは「自分は売れ方を知っているから、300個の在庫でも多すぎるわけではなく、むしろ足りないかもしれないことがわかるけれども、売れ方を知らない人が見たら、300個もあれば多すぎると思うかもなぁ」と、在庫数量を把握しているだけでは在庫管理を実現するのに不十分なのではと考えてしまいました。

　在庫は、現在持っている数量だけを見ても過不足の判断はできない。出荷状況と対照してみる必要がある。

　このような疑問を解決したい方は、第3章第1～2節を見てください。

在庫量は「日数」に換算してみる

　倉之助くんは、よく売れていた商品を思い出し、それらの商品の在庫を調べてみることにしました。

図　売れ筋商品の在庫数量

商品No.	商品名	在庫数量
322	至高のめんつゆ	1500

「なるほど売れ筋商品はたくさん在庫があるんだな」と思う一方、「ちょっと待てよ」と思いました。確かにこの商品は夏の間よく売れて、1日で500個売れることもあったのですが、今はもう秋に入る時期です。今後この商品を仕入れる顧客はあまりいないでしょう。

　今の営業担当者にこの商品の売れ行きを聞いてみたところ、昨日は10個しか注文がなかったそうです。倉之助くんは驚きました。1500個の在庫は売り切ることはできるのでしょうか。今後、同じような注文が続くとすれば、1500÷10で、在庫が売り切れるまでに150日かかることになります。

　倉之助くんは、「在庫量は個数のデータだけ見ていても、多いの

か少ないのか判断することは難しいのだな」と考えました。1000個、1500個といった在庫の個数を見ても、それだけでは意味のある情報は読み取れません。「在庫量」と「今の売れ方」を突き合わせることで、意味のある情報が把握できそうです。

　この商品で言えば、夏の間のよく売れていた時期なら1500個の在庫も問題なく売り切れそうですが、そろそろ売れなくなりそうなこの時期では、1500個の在庫は多すぎると言えます。

倉之助くんの気づき❷

　現在の売れ方から見て「何日分に相当するか」を考えれば、売り切れるかどうか、過不足の評価が可能になる。

- よく売れていた時期の在庫状態

　　在庫量「1500」個÷1日当たり注文数「500」個＝「3」日分
- 今の在庫状態

　　在庫量「1500」個÷1日当たり注文数「10」個＝「150」日分

　同じ1500個の在庫でも、どれだけの需要があるかで、たったの3日分でしかなかったり、逆に150日分に相当したりと変化します。個数としては同じでも、在庫量としての評価はまったく異なるのです。

需要が変動するからこそ 在庫管理が必要

需要が変動しないなら在庫管理はいらない

　倉之助くんは、在庫管理システム上に見たこともない商品名が大量に登録されていることを発見しました。5年間営業活動をしてきた倉之助くんは、「見覚えのない商品名は、今はまったく売れていない商品なのだろう」と推測しました。しかし、これらの商品もかなりの在庫があるようです。

　古株の社員に聞いてみたところ、以前はよく売れていた商品だそうです。

　売れていた時期には、在庫はあって当然、むしろ「ないと困る」在庫ですが、売れていない今となっては、「あっては困る」在庫になってしまっているわけです。

倉之助くんの気づき❸

　販売量が落ちてくれば、在庫量を減らさないと過剰在庫が発生する。逆に販売量が増えれば、在庫量を増やさないと欠品が発生することになる。

　つまり、売れ行きに合わせて、必要な在庫量は変わる。

　必要な量が変動するからこそ在庫管理が必要なのです。「在庫管理とは何か」を知りたい方は、第2章第4節を見てください。

在庫管理が必要な場所はどこか

　倉之助くんは、需要に合わせて在庫の量を管理することが必要だと感じ、「では、どこで誰が在庫管理をすべきなのか」を考えました。

　倉之助くんの会社には工場、工場倉庫、顧客出荷用の地方デポ（物流拠点）が複数あります。

　顧客への納品は基本的に地方デポから行われますが、大口出荷がある時は工場倉庫からの直送も行われています。

　倉之助くんの会社にとっての「需要」とは、顧客が何を求めているかであり、それは「どの商品がどれだけ注文されたか」、つまり受注情報に表れます。

　顧客からの受注に従って地方デポから出荷が行われます。地方デポでは欠品がないように在庫を持っておく必要があります。地方デポは、在庫管理を行うべき場所ということです。

　地方デポは顧客への出荷を担っていますが、在庫が減ってくれば、工場倉庫に対し在庫の補充を依頼します。もし、工場倉庫が欠品していたら、地方デポへの在庫補充が行えません。つまり、工場倉庫も在庫管理を行うべき場所ということになります。

　工場倉庫の在庫が減ってくれば、工場の生産部門に対し、生産依頼を行います。工場では、生産依頼に応じて生産計画を立て、生産します。完成した製品をすべて工場倉庫に送り込んでいる場合、工場においては製品の在庫管理の必要はありませんが、製造するために必要な材料や原料は持っておく必要があり、これらの在庫管理をしなければなりません。

ちなみに、生産計画を立ててから材料や原料を調達して生産に間に合うならば在庫は必要ありません。逆に「見込み」で用意しておかないと間に合わないならば、製品にしろ、材料にしろ、在庫を持っておく必要があるため、在庫管理が必要になります。

倉之助くんの気づき❹

「見込みで在庫を用意する必要がある」場所では、どこでも在庫管理を行う必要がある。

　「見込みで在庫を用意する必要がある」メーカーならば、工場、工場倉庫、物流拠点など、在庫を持つすべての拠点において、在庫管理を行う必要があります。

　卸、小売でも同様で、一次拠点、二次拠点のように階層があって、両方に在庫があるならば、両方で在庫管理が必要です。小売業では、店舗、物流センターの両方で在庫管理が必要です。

　ただし、もし、注文を受けてから在庫を用意するとしても、顧客が求める納期に間に合うのであれば、在庫管理は必要ありません。

在庫はどこまで絞り込めるか

最小の在庫量とは

倉之助くんは、上司に「現実問題から離れてもいいので、在庫量を究極まで絞り込むとしたらどこまで絞れるか、考えてみてほしい」と指示されました。

在庫管理を行うべき場所は、ここまで考えたとおり、工場、工場倉庫、地方デポ（物流拠点）となります。それぞれの場所で、できる限り在庫量を絞るとすると、どうなるでしょうか。

在庫は顧客のために持つものでした。顧客に合わせて綿密な在庫管理を行うべきなのは、顧客に最も近い物流拠点ではないかと倉之助くんは思い、まずそこから考えることにしました。

物流拠点にいる友人に「何も制約なしに、今日、最小限の在庫量を用意しろと言われたら？」と質問してみたところ、「預言者でもいて、明日の出荷量がわかるなら、それだけ用意するよ」との答えがありました。物流拠点での最小限の在庫量は「明日必要な1日分」と言えます。

物流拠点に在庫を送り込むのは、工場倉庫の役割です。倉之助くんは、工場倉庫にいる先輩にも同じ質問をしてみたところ、「工場倉庫は物流拠点ほど絞り込めないよ。物流拠点に向けて出荷するために必要な量と言えば、確かに明日の1日分ではあるけど、工場からできあがったものが送り込まれてくるし」とのことでした。

倉之助くんの会社のもう1つの在庫拠点「工場」において最小の在庫量とは、他の2つとはだいぶ性質が異なることがわかります。工場では、生産によって在庫が生まれます。需要に応じた必要な量を用意するだけでなく、生産サイクルや生産ロットに大きく影響を受けて在庫量が決まります。

倉之助くんの気づき❺

　生産サイクルなどの制約がなければ、必要最小限の在庫量は「出荷1日分」である。生産拠点から在庫を補充してもらう拠点であれば、極限まで絞り込んだ在庫量は「1日分」である。

「出荷1日分の在庫量」「最小の在庫量」について知りたい方は、第3章第1～2節を見てください。

「1日分」「リードタイム日数」を意識する

　倉之助くんは、「出荷1日分」を意識して出荷状況、在庫状況を見てみました。最小の在庫量で物流拠点を運営するにはどうしたらよいのかを考えることにしたのです。

　自社の「最高のステーキソース」は、ほぼ「1日1個」出荷されていました。明日の出荷に間に合う量が最小限の量であるならば在庫量は「1個」でいいはずです。しかし、実際にはこの商品はたまに欠品して、営業時代の倉之助くんは顧客に謝罪していた経験がありました。

　物流拠点にいる友人に、「最高のステーキソース」の在庫管理について聞いてみると、「単価が高いから、たくさん在庫しないようにしている。在庫が3個まで減ったら5個発注している」とのことで

した。工場倉庫から物流拠点への補充は基本的に毎日行われています。３個ある時点で発注しているのなら、欠品が起こるはずがありません。

　友人にこの疑問をぶつけてみると、「じつはこの商品は他メーカーからの仕入れ品で、注文したら２〜３日後に届く」とのことでした。

倉之助くんの気づき❻

　欠品を防ぐためには、注文してから何日後にその在庫が使えるようになるのかを考慮する必要がある。これは「発注リードタイム日数」と呼ばれる日数である。

「日数で把握すること」の意味、リードタイム日数について知りたい方は、第３章第２〜３節を見てください。

よく言われる「適正在庫」って何？

　倉之助くんは「出荷１日分」という考え方と、リードタイム日数を把握して在庫量を絞り込むべきことを上司に報告しました。

　上司はその報告に納得してくれたものの、さらに倉之助くんを悩ませる質問をしてきました。

「その『１日分』と、巷でよく言われる『適正在庫量』とはどういう関係なの？　あらゆる拠点で『１日分』とリードタイムを考慮した在庫量をプラスすることで管理できる？」

　倉之助くんは工場倉庫にいる先輩の言葉を思い出しました。

「物流拠点に向けて出荷するために必要な量といえば、確かに明日の１日分ではあるけど、工場からできあがったものが送り込まれてくるし」

工場倉庫では1日分に絞り込めない理由があることになります。先輩のコメントからすると、生産の都合があって在庫量が絞り込めないようです。

　また、物流拠点にいる友人の「3個まで減ったら5個発注」という発注の仕方も気になります。なぜ5個発注するのか聞いたところ、調達元のメーカーから、5個以上で発注するよう求められている、とのことでした。

　生産の都合も取引条件も簡単に変更できるものではありません。在庫量を「1日分」に抑えようとしても、現実的に実現可能な最小の在庫量は、これらの制約に対応した量ということになります。

倉之助くんの気づき❼

　最小生産ロットのような生産の都合や、調達ロットなど取引先との取引条件が、「出荷1日分」の量よりも大きい場合、在庫量は「1日分」まで絞り込むことはできない。これらの制約を考慮したうえでの最小の在庫量が、現実的に実行可能な在庫量であり、これが「適正在庫量」と呼ばれるものである。

「適正在庫量」については、第3章第4節を見てください。

在庫量を適正に維持するには?

「適正在庫量」について、しっかりと自分の頭で考えた倉之助くんは得意顔で上司に報告しました。上司は褒めてくれたものの、また質問が出ました。

「ではその適正在庫量はどうやって維持するの?」

　自社の在庫管理システムを見てみましたが、それらしき情報はと

くにありませんでした。物流拠点の友人、工場倉庫の先輩に聞いてみると、それぞれExcelを駆使して発注量を計算しているとのこと。

　その計算方法についてさらに詳しく聞いてみたところ、じつは二人とも発注のたびに迷いながら数量を決めているとのことで、「結局はKKD」という返事でした。KKDと言うとかっこよく聞こえますが、じつは「カン・経験・度胸」の頭文字をとったもので、まったく論理的でもないし根拠もなく、どう考えてもかっこよくありません。

　これではまずいだろうと、倉之助くんはインターネットで検索してみました。すると、「発注方法」は古くから研究されており、今は４つの方法に集約されているという情報を見つけました。

倉之助くんの気づき❽

　在庫を必要最小限の量に維持するには、計算式に則って発注することが必要。

「発注法」については、第３章第５〜８節を見てください。

需要がぶれる！　どう対応する？

　在庫を必要最小限の量で管理するには「適正在庫量」を維持すればよさそうだ、というところまでたどり着いた倉之助くんですが、自分が営業をしていた頃、よく欠品に悩まされていたことを思い出しました。

　発注担当の友人と先輩に、欠品を出さないための対策を聞いてみたところ、「営業からの情報を聞くこと」「安全在庫を持つこと」の２つでした。

営業担当だった倉之助くんは、内心冷や汗が流れました。どちらかと言えば「もっと在庫が必要だ」という情報しか流していなかったからです。欠品は防げていたかもしれませんが、過剰在庫を招いていたかもしれません。

安全在庫はどう決めるのか聞いてみると、二人とも「過去データから、このくらい持てば安心と思われる量」という返事で、またしてもKKD、担当者任せの状況が露呈したかっこうです。

仕方なくインターネットで検索してみたところ、安全在庫量については「公式」があることがわかりました。「安全係数」「標準偏差」など、やや難しい用語も出てきたのですが、論理的な答えが得られそうで、倉之助くんは、ちょっとワクワクしてきました。

倉之助くんの気づき❾

安全在庫量は、過去の出荷データから計算で求める公式がある。"これだけ持てば安心"という量ではない。

「安全在庫」の求め方について知りたい方は、第３章第10節を見てください。

在庫状態を悪くしているのは誰のせい？

倉之助くんは、在庫管理システムを見ていて、数か月も出荷のない商品が多数あることに気づきました。それらの多くは寒い時期によく売れた商品でした。今は９月。本来、売れる時期が限られる商品は、その期間中に売り切る努力をしなければなりません。

売り切れなかったのは需要を上回る在庫を持ってしまったから。すなわち「過剰在庫」です。過剰在庫は、データで確認されない限

り、見つかりにくく、ずっと倉庫で眠っていることも多いものです。

倉之助くんは、「なぜこれらの商品の在庫が過剰になってしまったのか」を考え、データを見てみました。生産ロットは在庫量よりもずっと小さいため、過剰在庫の原因が生産ロットでないことは明らかです。

図 過剰在庫の原因は生産ロットだけではない

商品No.	商品名	在庫数量	最終出荷日	ロット
302	至高の鍋つゆ	500	3/10	100
313	お買い得鍋の素	3000	3/20	500

ふと、自分が営業時代、これらの商品がもっと売れると判断して「余裕を持って在庫しておいてくれ」と物流拠点に依頼していたことを思い出しました。

倉之助くんの気づき❿

在庫状態が悪化するのは、在庫拠点の発注担当者のスキルが低いことが理由とは限らない。営業担当者が「欠品は絶対に許さない」という圧力をかけ、過剰在庫を発生させている可能性もある。

営業など、在庫管理部門以外の部門が在庫量に影響を与える点は第2章3節を見てください。営業部門が過剰在庫を発生させる状況・抑制する方法について知りたい方は第4章第6節を見てください。

倉庫が大きければ在庫は増える？

　倉之助くんは、長期間出荷されていない商品は、いったいどこに置かれているのか調べてみました。すると、ふだん、存在を意識していた倉庫の他に、小さな倉庫がいくつも存在することを発見しました。先輩に聞いてみたところ、臨時のつもりで借りたものが、いつの間にか定着してしまったのだろうとのことでした。

　倉之助くんはこれらの倉庫を、売り上げの落ちたD商品を保管する「D倉庫群」と名付け、在庫管理をうまく行うことで「D倉庫群」をなくすことができると考えました。

　これらの倉庫をなくすことができれば、保管費用の他、ここへ商品を移動するための輸送費も削減できるはずです。

　さらに調べてみると、D倉庫群には、まれに売れ筋の商品が移動されていることがわかりました。その理由は、通常の保管先である倉庫がいっぱいなため、「仮置き場として使う」というもの。D倉庫群からは顧客向けの出荷ができないため、いったん通常倉庫に戻した後、顧客向けに出荷されます。通常の倉庫が在庫であふれているがゆえに、余計な移動コストまで発生していることになります。

　倉之助くんは以前にプライベートでトランクルームを借りたことを思い出しました。季節品の入れ替えに使うつもりだったのですが、そのうち日常的に不要なものを移動するようになり、いったん移動したものはほぼ使わないままになってしまいました。結局、「何年か保管費用を払った挙句に廃棄する」という、もったいない使い方をしてしまったのでした。倉之助くんは、会社の在庫にも、これと同じことが起きているに違いないと考えました。

倉之助くんの気づき⓫

　不良在庫・長期在庫のために、余計な保管費用・移動費用が発生している場合がある。「保管場所が余分にある」ことにより、在庫削減への意識が甘くなる可能性もある。また、ムダな在庫移動を生み、余計なコストが発生している場合がある。

在庫にかかわる費用については第2章第6節を見てください。

自社の在庫問題とは？　シミュレーションから考える

　倉之助くんはせっかく計算式を学んだので、計算式に則って在庫を管理すると、どのように在庫状況が変わるのか、シミュレーションしてみました。すべてのアイテムについてシミュレーションを行い、計算式に則って在庫管理を行うことで大きな在庫削減が実現することを発見しました。

　シミュレーションの結果の一部を見てみましょう。次ページは1年間の出荷・在庫の推移を1アイテムごとにグラフにしたものです。それぞれのアイテムについて、在庫管理上、どんな問題があると考えられるでしょうか？

　ここで、グラフの見方を説明します。

　棒グラフが小さく下に見えるかと思いますが、これは1週間単位にまとめた出荷データです。黄色の折れ線グラフが実際の在庫の動き、灰色の折れ線グラフが計算式に則って補充を行った場合の在庫の動きです。

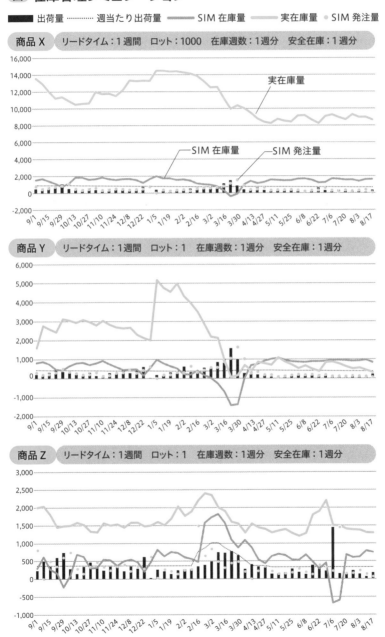

図 在庫管理シミュレーション

■■■ 出荷量 ……… 週当たり出荷量 ━━━ SIM 在庫量 ━━━ 実在庫量 ● SIM 発注量

商品 X リードタイム：1週間　ロット：1000　在庫週数：1週分　安全在庫：1週分

商品 Y リードタイム：1週間　ロット：1　在庫週数：1週分　安全在庫：1週分

商品 Z リードタイム：1週間　ロット：1　在庫週数：1週分　安全在庫：1週分

　商品Xは、明らかに在庫量が過剰です。この商品の在庫管理担当者は、出荷データ、在庫量などのデータをきちんと見て発注しているのかすら疑問です。

　商品Yは、Xよりは少し在庫量が抑えられているものの、まだ改善の余地が大きくあります。3月の年度末以降、在庫量が高止まりし、出荷がほとんどなくなっています。この製品を扱わなくなった顧客がいたなど、出荷減少の情報が共有されていなかったものと思われます。3月頃の大量出荷の連続は、商品切り替えのための販促とも思えます。

　商品Zは、かなり上手に担当者による在庫管理が行われていますが、計算式のほうがさらに低い水準で在庫を管理しています。残念なことに7月に大きな出荷があり、計算式では欠品してしまっていますが、過去データから読み取れない突発的な事態ですから、欠品して当然です。人のほうは在庫量を増やして対応しているので、事前の情報があったのでしょう。

　以上のことから、過去データから推測できる出荷状況が継続しているならば、在庫管理は計算式に任せられると言えます。一方、過去データから推測できない大口出荷については人が予測したり、営業情報を早期に得る工夫をしたりするなど、人による適切な対応によって上手な管理ができると言えます。

　人とシステムが上手に役割分担することで、在庫管理の無用な手間を省きつつ、必要最小限の在庫量で事業を維持できるでしょう。

在庫の評価

会社全体の在庫はどう把握する?

倉之助くんは上司から問題を出されました。

- Qわが社における直近5年間の在庫の増減状況は?
- Q売り上げと対比しての状況は?

「5分以内に回答できる?」と言われて、倉之助くんはあっさり白旗をあげてしまいました。在庫管理システムを開いて5年分の在庫数量を足し上げ、売り上げと対比して推移を見るなんて不可能だと思ったのです。

　ところが上司はそんなことは簡単だと言います。じつは、「在庫の金額」は財務諸表から簡単に見つけることができるのです。

倉之助くんの気づき⓬

　貸借対照表の「棚卸資産」は在庫の金額を表す。その推移を見れば在庫の増減状況がわかるが、ここでも単に金額の推移を見るべきではなく、売り上げと対比して評価すべきである。

　財務諸表に表れる在庫の見方については第2章第7節を見てください。

自社はうまくやれてるの？

　財務諸表を見ると、売り上げと在庫の比率はここ数年で大きな変化はしていないことがわかりました。

　しかし、実際には欠品が起きていますし、一方では在庫の廃棄も行われており、最近では特別損失も計上して、もったいないほどの在庫処分を行っていました。

　倉之助くんは、前よりも在庫管理レベルが下がっている実感があったので、「財務諸表に表れる在庫金額だけを見ていても、在庫管理の状態はわからないのではないか」と思いました。単品ごとにチェックする必要がありそうです。

　　倉之助くんの気づき⓭

　　在庫管理はアイテムごとに行う必要がある。全社在庫、カテゴリー別在庫といった把握の仕方では、在庫が過剰なアイテムと在庫が過少なアイテムが相殺し合って、平均値は"そこそこいい感じ"のデータになってしまう。

　在庫管理の指標を知りたい方は第4章第1節を見てください。現在の在庫管理レベルが一目瞭然でわかる「在庫散布図」の作成方法を知りたい方は第4章第2節を見てください。

在庫管理レベルが低いとどんな損失があるの？

　倉之助くんは在庫散布図を作ってみて、自社の在庫管理がうまくいっていないことがわかりました。その内容を上司に報告すると、

またしても質問されました。

「在庫管理がうまくいっていないことで、どんな損失が発生しているの？」

　在庫管理レベルが低い時に発生する問題は「欠品」と「過剰在庫」です。欠品により発生する損失は、「売り上げロス」です。在庫があれば得られたはずの売り上げを喪失したということです。

　残念ながら、売り上げロスを具体的に計算するのは困難だと倉之助くんは判断しました。在庫がなかった期間に顧客から注文があったのかどうか、このようなデータは取っていなかったからです。

　倉之助くんは在庫が過剰だった場合にかかるコストを考えてみました。最終的に売り上げに結びつかず、廃棄した商品にかかったコストを計算すると、予想以上に大きなコストがかかっていることがわかりました。

　廃棄処分費はもちろん、長期間保管したコスト、保管中に他の拠点なら売れるかもと転送したコスト……。

倉之助くんの気づき⓮

　過剰在庫にかかるコストは意外に大きい。一方、欠品によりどれくらいの売り上げロスが発生していたのかを正確に把握するためには、「顧客から注文があったものの在庫がなくて受付できなかった」というデータまで収集する必要があり、現在のわが社では全貌を把握するのは困難。一般的にも売り上げロスの把握は困難な場合が多い。

在庫にかかる費用を計算したい方は第2章第6節を見てください。

5 在庫管理のレベルを上げる

在庫管理が上手になったら、もっと在庫は減らせるの?

　倉之助くんは、発注法に基づいて在庫削減余地を計算し、上司に説明しました。上司は説明には納得してくれたものの、またもや倉之助くんに質問しました。

「これをやり続ければ、在庫管理は理想的な状態と言えるの?」

　倉之助くんは悩みました。実際に在庫をシミュレーションどおりに減らすことすら簡単ではない難題のはずですが、上司はそれ以上のことを期待しているのでしょうか?

　上司に確認してみると、「物流危機がやってきて、これまでは短縮するばかりだったリードタイムが延びる方向へ進んだように、在庫管理でも常識がひっくりかえることもあるのではないか?」という言葉が返ってきました。

　倉之助くんは「制約条件」と認識していた事態について、これをひっくりかえせば在庫量をさらに絞り込めると気づきました。

　　倉之助くんの気づき⓯

　生産ロットや仕入れロット、発注リードタイムなどの制約条件を小さくできれば、在庫量をさらに絞り込むことができる。

　在庫量と制約条件の関係については第3章第9節を見てください。

営業や生産の意見を尊重しすぎると大変なことに

　倉之助くんは、より上手な在庫管理を行うために色々と情報収集していたところ、「部分最適」という言葉を知りました。ある部門にとっては都合がよいが、全社で見れば問題となる行動は「部分最適」と呼ばれます。

　倉之助くんは自分の営業時代、「在庫をなるべくたくさん持ってくれ」と要求していたことを反省しました。そのように指示した商品の在庫が、長期間出荷されることなく倉庫で眠っていることがわかったからです。まさに「部分最適」な行動だったわけです。

　在庫をたくさん持たせることは、営業部門にとっては都合がいいことです。しかし、全社にとって最適な行動とは言えなかったため、それが在庫となって残ってしまっています。

　生産部門や仕入れ部門でも、当面、必要な量以上にまとめて生産や仕入れが行われることがあります。このような取り組みは、生産単価もしくは仕入れ単価を低く抑えたとして、賞賛されることすらあります。しかし、本当に賞賛されるのは、これらがすべて売り切れた時のみであるべきです。

倉之助くんの気づき⓰

　部分最適な行動は会社に損失を与えがちであるが、当該部門ではむしろ歓迎されてしまうこともある。部分最適な行動により、在庫が過剰に発生していたことに気づくのは、だいぶ時間が経過した後のことだからである。全体最適を目指せるよう、社内の共通認識を作る必要がある。

部分最適の弊害については第２章第３節を見てください。

顧客の売り上げが伸びた！　対応できないと損をする

　在庫管理のレベルを上げるためには、需要を正確に読むことも有効な対策です。

　倉之助くんには営業時代に、ちょっと苦い思い出がありました。自分の顧客が新しい業態を開発したのに、そこで売れそうな製品を提案できず、新たな売り上げを確保できなかったのです。

倉之助くんの気づき⓱

　自社の需要を正確に読むことは基本のキ。顧客の需要を正確に読んだうえで、それに合わせた在庫管理の実行までできれば、売り上げ・利益を大きく拡大させることができる。サプライチェーンとしての取り組みを心がけることが、大きなレベルアップにつながる。

　サプライチェーンとしての取り組みについては第２章第５節を見てください。

計算だけでは完璧ではない。在庫管理体制の整備

月末や期末に出荷が増えるのはなぜ？

　倉之助くんは出荷データの分析をしていたところ、月末や期末に出荷が増えがちなことを発見しました。しかも、ものによっては出荷したにもかかわらず、返品されてくるものもありました。

　営業出身の倉之助くんとしては、かつて一緒に働いた営業部の仲間たちの気持ちが痛いほどわかりました。しかし、在庫問題を改善するためには気づかない振りをするわけにはいきませんでした。

　この出荷増は需要に応じて発生したものではなく、人為的な要因で発生していたのです。「営業成績を伸ばしたい」「ノルマを達成したい」といった希望を持つ営業担当者により、「月末前に納品させてください」という交渉が行われ、月末・期末前に、実需と無関係な出荷増が発生するものです。もし、この交渉において、「返品してもいいですから」という条件がついていたら、在庫管理は相当めちゃくちゃになってしまいます。

倉之助くんの気づき⓲

　営業成績を伸ばしたい営業担当者の思惑により、月末、期末などに実需と合わない出荷が発生することがある。これにともなって返品が発生することもあり、過剰在庫につながっている。

このような事態の発生を抑制する方法については第4章第3節を見てください。

商品の特性により、適した在庫管理方法は異なる

倉之助くんは計算式に則り、在庫を継続的に補充していく商品を見極めようと1つ1つチェックしてみました。

すると、今後も継続的に売れると見込めるもの、もう売れないと思われるもの（すでに過剰と思われるもの）、今は売れ行きが落ちているが、季節が廻ればまた売れると見込まれる商品など、いくつかのパターンに分けることができそうでした。

倉之助くんの気づき⓱

現在の在庫品はすべて補充すべきとは限らない。適宜「仕分け」を行い、継続的に補充するもの、補充をやめ在庫が減るのを待つものなど、区分の変更が必要。売れ行きは常に変化するので、欠品が出ないよう在庫を増やす、季節品が余らないように補充を管理するなど、人による判断が重要になるタイミングもある。

人による判断が重要になる在庫管理については第4章第4〜8節を見てください。

自社の在庫管理システム、機能は十分か？

倉之助くんの会社には在庫管理システムが導入されていましたが、機能としては現在の在庫量がわかるだけでした。必要な発注量は担当者が自らExcelなどを駆使して独自に計算し、発注していました。

これでは担当者がKKDを発揮するしかなく、全社ルールが構築されているとは言えません。

　在庫管理に必要なのは、正確な在庫データの把握はもちろんだが、会社として推奨発注量をどのように計算するか、計算ルールを確立することである。

在庫管理システムについては第5章を見てください。

そもそも倉庫での在庫の「置き方」、ちゃんとしてる？

　倉之助くんは倉庫の見回りをしていたところ、棚に入りきらず、床に置かれている段ボール箱をいくつも見かけました。格納が間に合っていない、棚がすでにいっぱいで入りきらない、といった理由により、よく発生しているようです。

　正しい場所に格納されていないことによって、出荷の際に商品が見つからない、間違った商品を出荷してしまうといったトラブルが発生しています。

　出荷量に応じて在庫の量を管理することと同様に、在庫の置き方も、きちんと整理整頓されていることが重要。

　在庫の置き方、現場の整理整頓については第4章第12節を見てください。

倉之助くんのその後

倉之助くん、年間MVPにエントリー

　倉之助くんが物流部に異動してきてから1年半が経とうとしています。倉之助くんは在庫管理における活躍が認められ、社長が表彰する年間MVP候補に選出されました。

　過去のMVPは生産部門か営業部門だったので、候補に選出されただけで上司は大喜びです。

過剰在庫排除で作業効率アップ

　倉之助くんが手探りで在庫管理に取り組み始めてから、最初に感激した出来事が3か月後に起こっていました。物流センターを訪ねた時に、現場の班長から感謝されたのです。

「センターのあちこちで場所を取っていた不動在庫がようやく処分されて、動いている在庫をちゃんと棚に置けるようになったんだ。きちんとロケが振ってあるところからピッキングできるから、作業ミスが減ったよ！　それに格納場所が足りなくて、棚の前や横に置かれてぶつかりながら歩いていた在庫も棚に格納できるようになったから、みんなの動きもよくなって作業効率も上がったよ！　センターにそんなに余分な在庫が隠れていたとはなぁ。すべての商品がきちんと格納されているのって本当に気持ちがいいよ」

顧客が喜んでくれた

次のいい思い出は取引先の小売店の店長からの喜びの声でした。「倉之助さんと話して季節品をいつまで販売するか、事前にきちんと決められたから、計画的に売り場をつくることができましたよ。それに、だらだら売って余りを安売りせず、ほぼ定価できちんと売り切れたんです！」

それを聞いた倉之助くんは、営業担当時代に自分が高い売り上げを上げた時よりも嬉しさを感じました。より価値ある仕事をしたような気がしたのです。

在庫管理は面白い

受注センターの女史から呼び出されたときは緊張しましたが、「欠品対応で受注センターが振り回されることが随分減りました。おかげで残業も減りました。きちんと在庫を確保してくれているおかげです」と感謝されました。

いまの倉之助くんの目標は、売り上げに対する在庫量の水準を落とし、かつ欠品を出さないことです。

「営業の仕事も面白かったけど、なぜ売れたのか正直わからない時もあった。在庫管理はデータで問題点が見え、何か手を打てばデータが変わり、改善の様子もわかる。なかなか面白いぞ」

倉之助くんがチャレンジした在庫管理の数々の施策について、第2章以降で紹介しています。楽しんで取り組んでみていただけると幸いです。

倉之助くんの気づき㉒

在庫管理は面白い！

COVID-19が物流に与えた影響

COVID-19の影響による宅配便貨物の増加

　2020年2月に横浜に帰港したクルーズ船でのCOVID-19陽性者の発見から、まったく違う世界が出現しました。この変化は物流の世界にも大きな影響を与えました。

　感染予防のため、Stay Homeが呼びかけられました。未知のウイルスに対する恐怖感もあり、買い物は「出かける」ものではなく、家にいたまま「ポチッと」行うものとなりました。

　2020年度の宅配便取扱個数は、国土交通省の調べで、前年比11.9%増の48億3,647万個でした。1年で5億個以上伸びたことになります。

コロナによる影響が「吉」と出た面

　経済産業省によれば、消費者向け電子商取引の市場規模は年々増加してきていましたが、2020年は初めて減少しました。これは統計開始後、初めての事態となりましたが、減少したのは「サービス分野」であり、これは主に旅行などの取引でした。

　ものの移動がともなう「物販系」については2019年の10兆円から12兆円へと大きく伸長しました。

宅配便の貨物は、Amazonや楽天のようなBtoCのものばかりではなく、メルカリのようなフリマアプリによる個人間のものも含まれます。

　社会の多くの場面で「非接触」が求められたことから、2020年は宅配事業への依存度が急速に高まった時期となりました。日常的な食料品や生活必需品ですら、通販を利用する人が増えました。

　以前と同じ状況であれば、これだけの物量の増加を捌き切れなかったかもしれません。しかし幸か不幸か、COVID-19騒動のおかげで、宅配事業の生産性を大きく落としていた「再配達」に大きな改善が見られたのです。

「置き配」は、非接触を望む利用者のために生まれたサービスですが、これが宅配事業者を救ったと言えます。2019年（コロナ以前）、宅配便の再配達は平均15％となっていましたが、2020年は11.4％、2021年は11.9％と改善されています。

"通販生活" の定着

　生活必需品ですら通販を利用する生活スタイルは、やはり便利であり、今後、普通の状態に戻ったとしても、"通販生活" は元には戻らず、むしろ定着、拡大していくと思われます。

　小売店は、店頭販売だけでなく「オムニチャネル」と呼ばれるように、店頭でもWebでも販売を行う形態に対応していくことが重要になるでしょう。

　このとき、消費者側の利便性のみでなく、小売店側の経営面から考えても、「在庫情報の一元化」は課題となるでしょう。店頭在庫とWeb上の在庫情報を一致させておかないと多チャネルでのスムーズな取引が難しくなってしまいます。Web上だけでも、複数の

Webショップで販売している場合、こちらも一元管理が必要となります。

ものだけでなく、店も届ける

　店ごと、消費者に届けてしまうのが「移動店舗」です。「買い物弱者」と呼ばれる、郊外に暮らし、車を持たない高齢者などにとっては、非常にありがたい存在です。

「移動店舗」は、車に商品を載せて、利用者の庭先などまで行き、必要なものを買ってもらうものです。お店と比べれば少ない量しか運べませんから、何が売れそうか、しっかりと見極め、売れるだけの量を運搬する必要があります。

　移動店舗で出かけたら、帰ってくるときは在庫がゼロになることを目指してみると、在庫管理のよいトレーニングになるでしょう。

　移動店舗という性質上、利用者はほぼ固定的だと思われます。「次に欲しいもの」を利用者にヒアリングしたうえで、商品を用意していくことも、在庫管理の精度を上げ、売り上げを向上させるのに役立つでしょう。

第 **2** 章

「在庫」とは何か

在庫は何のためにあるか

在庫は顧客の要望に応えるためにある

在庫は、自社のために持つものではありません。顧客の要望に応えるために必要な場合に持つものです。顧客の要望とは、「注文した翌日には納品してほしい」「注文した2日後には、○○の加工を済ませたうえで納品してほしい」といったものです。

ですから、もし、顧客から注文をもらった後に商品を生産し出荷しても、顧客が期待する期限までに届けられるのであれば、在庫を持つ必要はないのです。顧客から注文があった時に、あなたの会社や倉庫に在庫を持っておかないと顧客に約束した期限までに届けられないという場合にのみ、在庫を持てばよいのです。

このような「注文を受けてから顧客に届けるまでの時間」を「納品リードタイム」と言います。

一般的に、購入者である顧客にとっては、納品リードタイムは短いほどよいと考えられています（が、現在、リードタイムが短すぎることによる物流上の弊害が出てきており、この考え方は見直されつつあります。この動きについては第6章第2節を読んでください）。

回転寿司店の「在庫」とは？

在庫をわかりやすくイメージしていただけるよう、「回転寿司」を例に説明してみたいと思います。

　回転寿司店には在庫管理を考えるのに絶好の「ネタ」があります。レーンの上に流れている寿司、これはお店が作り上げた製品であり商品で、販売用に陳列している「在庫」です。顧客は「在庫」の中から好みの寿司を選択し、自分のテーブルに取ることで「購入」できます。「在庫」があることにより、客は待ち時間なしで求めるものを入手できるのです。納入リードタイムはほぼゼロと言っていいでしょう。

　一方、欲しい商品の在庫がない、つまり、食べたい寿司が回っていなかったらどうでしょうか。在庫管理の用語を使うならば、この状態は「欠品」と同じです。好みの寿司が回っていなければ、注文せずに食べるのをやめてしまう顧客もいるでしょう。つまり、売り上げをロスしたことになります。

　もちろん、好みの寿司が回っていなかったことにより、ネタを指定して「注文」する顧客もいるでしょう。注文を受けると、厨房では、やっていた作業を中断して注文に応じた寿司を握り、顧客に届けます。顧客としては、握りたてで好みの商品が手に入りますが、納品リードタイムの間、待っていなければなりません。注文が立て込んでいたら、届くまでに時間がかかる場合もあります。

　このように、回転寿司店で言えば、顧客は納品リードタイムゼロで（わざわざ注文しなくても）目の前に欲しい寿司が流れてくることを期待しているので、店側としては、顧客が欲しいと思う寿司を正しく見込んで、レーンに寿司を流していなければ、顧客の期待に応えられません。

　また、厨房の中では、顧客のニーズを見込んだうえで、なるべく

効率的に提供できるよう計画を立て、寿司を提供しています。突発的な「注文」が入ると、計画的な作業を中断し、対応しなければなりません。当然、作業の生産性は落ちます。

このように「注文する」「注文に応じる」ということは、顧客側と店側、双方にとって手間のかかる作業なのです。

在庫は時間のギャップを埋めるためにある

ある半導体の工場では、製品の製造に半年以上かかります。生産指示などの「注文」が行われてから、製造が完了し納品できるようになるまでの期間を「製造リードタイム」と言います。

この半導体工場に在庫がなければ、顧客は製造リードタイムの半年以上、待たされることになります。それでは競合相手に顧客を取られてしまうでしょう。そんな事態にならないように用意しておくのが「在庫」です。

在庫は、「製造する時期」と「顧客が商品を求める時期」のズレというギャップを埋めてくれるものです。

また、収穫期と需要期のギャップもあります。

例を挙げると、鯖の缶詰は1年中売られています。ですが、鯖は年中収穫できるわけではありません。旬の時期に収穫されたものが、缶詰用に加工・製造され、在庫として保管されており、必要なタイミングで都度、店頭に並べられているのです。

また、アイスクリームのメーカーでは、在庫の「作りだめ」が行われます。アイスクリームはもちろん夏によく売れるものですが、売れる時期にすべての量を生産しようとすると、かなりの生産能力を必要とします。一方、冬場はその生産ラインは休眠することにな

ります。夏期だけフル稼働、それ以外の季節では休眠、ということになると生産設備がもったいないので、生産の瞬発力はあえて持たないこととし、生産期間を長くして十分な在庫を用意できるようにしているのです。

在庫は量のギャップを埋めるためにある

お正月に行われる「大間のマグロ」のセリは有名ですが、一般の家庭でマグロを一本買いすることはまずないでしょう。そんなに消費しきれないからです。

一般の人は消費したい量だけ入手するために、寿司店やスーパーマーケットを利用すると思います。そんな顧客のニーズに合うよう、寿司店やスーパーマーケットは、まとめて仕入れた商品（一本買いしたマグロなど）を小分けして販売します。この売り方は、問屋や小売店が「箱単位」でまとめて仕入れた商品を1個ずつバラ単位で販売するのと、まったく同じビジネスのやり方です。

製品によっては最小生産ロットというものがあって、なるべく少量ずつ作ろうとしても「最小でも100個できてしまう」といった場合があります。ここで顧客が必要なのは「10個」であった場合、10個はこの顧客に販売し、残りは「在庫」にしておきます。他の顧客から注文があれば、この在庫から出荷していくわけです。

このように、在庫は、メーカーなどから供給される量と、ユーザーが必要とする量とのギャップを埋めるためにも役立っています。

在庫は会社にとっての コレステロール

ありすぎてもなさすぎてもダメ

　先ほど回転寿司店のレーンにのっている寿司は「在庫」であると説明しました。もし回転寿司店に行ったとして、レーンの上に寿司が全然流れていなかったらどう思うでしょうか。

　きっと「品物がなくて選ぶこともできない。つまらない」「二度とこの店には来ない」など、低い評価をする人のほうが多いでしょう。

　一方でお客さんは少ないのに、レーンの上に寿司＝「在庫」が大量にのせられていたらどうでしょう。お客さんはすぐに食べられるので喜ぶかもしれませんが、「在庫」はなかなか減らないでしょう。いつまでもレーン上を回り続けている寿司は握りたてのおいしさがなくなってしまいますね。

　このような状態を在庫管理の世界では「陳腐化」と言います。流行が廃れたりして、商品としては出荷可能でも、価値は低くなったことを指します。

　つまり、在庫は「ないと困る」のはもちろんなのですが、「ありすぎても困る」という、ちょっと厄介な代物なのです。

在庫がたまるとキャッシュ（＝血液）の流れが悪くなる

「コレステロールが高めだから、食べ過ぎに気をつけなければ……」と色々なところで聞くでしょう。これは人間の健康の話ですが、人間にとってのコレステロールと、会社における在庫は、非常によく似ているのです。

コレステロールと聞くと悪いイメージを持つ方もいるかもしれませんが、じつは人間の健康を保つために必要なものです。しかし多すぎると血管にたまることで、血液がドロドロになって流れが悪くなるので、深刻な病気の原因となります。

会社における在庫が、血管内のコレステロールに似ているのは、「多すぎてはダメだが、なくてはならない」ところです。

また、在庫が必要以上に多くなると、会社にとっての血液である現金の流れを悪くしてしまう点でも似ていると言えるでしょう。会社のあちこちに在庫がたまると、現金（＝血液）の流れもドロドロになってしまいます。会社が深刻な「病気」になりかねないということです。

在庫管理をきちんと行うことで、在庫（＝コレステロール）を適量に保ち、現金（＝血液）の流れをサラサラに保つことができます。

在庫はなぜ増えるのか

"顧客の要望" への素直すぎる対応

　在庫は適量に保つことが重要です。しかし、在庫はどうしても増えがちなものです。その原因の多くは "顧客がらみ" です。本章第1節で「在庫は顧客の要望に応えるために持つもの」と説明しました。在庫は顧客のために持つものですから、その要望に応えられる適正な量があれば問題ないのです。

　ところが、この適正な量を維持し続けるのがなかなか難しいのです。必要量を上回る在庫を「過剰在庫」と言います。経営トップが経営状況の改善のため「在庫を減らせ！」と指示することがありますが、これは本来「過剰在庫を減らせ」という意味なのです。

　なぜ在庫が増えがちになってしまうかと言うと、顧客から「欠品させるな」という要求が明確に、あるいは暗黙にも常にあるからです。「欠品」とは、注文を受けた時に在庫がなくてすぐに届けられない状態を言います。

　営業担当者は、顧客が過去に購入したことのある商品や購入しそうな商品について、「もう仕入れませんよ」と言われない限り、自社の在庫管理部門にきちんと在庫を持っているように要求します。

　ここに "情報の断絶" があります。以前より売れ行きが落ちていたとしても、その情報を積極的に教えてくれる顧客はめったにいま

せん。急に「別の商品に切り替えます」と言われたり、しばらく注文がないので営業担当者が確認してみたら「じつは取り扱いをやめました」と言われたりします。納品側としては、それまで、過去の出荷状況をもとに在庫を持っているわけですから、その分の在庫はあっという間に"過剰在庫"になってしまうというわけです。

　顧客の状況を直接ヒアリングできる立場にいるのは、営業担当者です。営業担当者が顧客側の売れ行きや今後の販売計画を早めに把握できれば、過剰在庫を抱えてしまうリスクを減らせる可能性があると言えます。

営業の売り上げ目標

　顧客から現状や今後の計画などを聞き出すことにより、正しい在庫管理に結びつく活動ができるはずの営業担当者ですが、彼ら自身の活動が過剰在庫を生み出す原因になってしまっている場合もあります。

　それは、営業担当者が自分の成績を上げるための活動です。これは、営業担当者の評価を、「担当者ごとの売り上げ金額」で評価している場合に起こりがちです。

　期末や月末になぜか出荷が増えるという状況があれば、いわゆる"押し込み販売"が行われている可能性があります。営業評価の締日を前にもう少し営業成績を上げたい担当者が、懇意の顧客に対し、注文はないのに「早めに納品させてもらえないか」と持ち掛けるものです。これは望ましくありません。なぜかと言うと、「実需」を歪めてしまいかねないからです。

　実需とは、文字どおり"実際の需要"という意味です。在庫管理

は過去のデータ、すなわち「顧客に対し、いつ、何を、いくつ出荷したか」という情報をベースに行います。押し込み販売によって出荷情報に歪みが出るので、顧客のニーズを正しく反映しないデータになってしまうのです。

　また、押し込み販売が危険なのは、返品につながりかねないからです。担当者によっては、いったん納品するものの期をまたいだ後には返品してよいという条件を付けている場合もあります。

　顧客にとっては付き合いやすい営業担当者かもしれませんが、社内的には大いに問題です。いったん出荷しているわけですから、これに対応して生産や仕入れが行われているはずです。そこへ出荷したはずのものが返品されてきたら、その瞬間に過剰在庫になってしまいます。

生産の都合

　メーカーで在庫が必要以上に増えてしまう原因に、生産効率の問題があります。メーカーにおいて生産効率の追求はもちろん重要なことですが、それには生産したものが売り切れる前提があるべきです。「この商品が100個必要だが、この後は売れるかどうかわからない」という状況で生産部門に生産依頼をした場合、100個作ってくれるならば在庫管理上は満点の対応です。

　しかし、必要な分のみ少量だけ作ってくれる生産部門は多くありません。「最小生産ロット」があるからです。

　最小生産ロットとは、部品や材料の問題、生産効率などを考慮して、「最も少量で作るとしても、この個数」と社内で決められたものです。100個必要な場合でも、最小生産ロットが1000個であれば、

1000個作るのが普通です。

　生産部門では生産単価が評価項目に入っていることも多く、その場合、在庫が売り切れるかどうかを考慮して、生産ロットを調整しようとする人はまずいないでしょう。

　さて、残りの900個が売れなかったとしたらコストにどう影響を与えるのでしょうか。下の図表で、最小生産ロットで生産し売れ残りが出た場合と、必要量だけを生産した場合を比較してみました。見比べると一目瞭然ですが、最小生産ロットが大きいほど、売れなかった場合の損失は大きくなります。

図　最小生産ロットが大きいほど、売れなかった場合の損失は大きくなる

	生産 単価	生産 個数	生産 コスト	販売 単価	販売 個数	売上	在庫 残	収入－費用
最小生産 ロットを優先	600	1,000	600,000	1,500	100	150,000	900	-450,000
必要量を 優先	750	100	75,000	1,500	100	150,000	0	75,000

　ここから、「生産単価が上がったとしても、確実に売れる分だけを生産したほうがよいのではないか」という仮説が浮かびます。生産単価や生産効率至上主義を捨て、売り切れる分だけを作る方向に舵を切ったメーカーもあります。

仕入れの都合

　仕入れにも、生産の都合と同様の"必要以上の在庫"を抱えさせる要素があります。それは「仕入れ単価」の問題です。まとめて仕入れをすると、仕入れ単価が割安になるというものです。

生産部門と同様、仕入れ単価が評価項目に入っていることは多いです。まとめて仕入れをすると、直接的に原価を下げる効果があるため、調達担当者にとって、非常に魅力的な方法です。

　社内で「この商品が100個必要だ」と言われて仕入れを行う際、「1000個まとめて仕入れるならば値引きする」と仕入れ先に言われたら、仕入れ単価、売上原価のことを考えて、値引きの選択をしてしまう担当者は責められません。

　しかし、在庫管理上は、100個しか必要でない時に1000個仕入れるのは望ましい仕入れ方ではありません。

　ここでも考えてほしいことは先ほどとまったく一緒です。割安な仕入れが実現したとしても、売り切れなかった場合には、経営的に望ましいとは言えないでしょう。

見込みとのズレ

　いくら過去データに基づくとは言え、在庫は見込みで用意するものですから、見込みが外れて商品が予測より売れなければ過剰在庫が生まれてしまいます。

　ちなみに、最も見込みが外れやすいのは、新商品を投入する時です。新商品には頼りにすべき過去データがないので、当然ですが、見込みは難しくなります。

　また、安定的に売れていた商品の売れ行きが急に落ちた場合も、見込みとのズレが発生します。これまでの販売実績からすれば「必要量」であったものが「必要量＋余剰」になってしまいます。対応策としては、過去データから読み取れない変化をなるべく早く把握できるよう工夫をするしかありません。

在庫管理とは何か

需要に合わせて必要最小限の在庫の「量」を維持すること

在庫は「ありすぎてもダメ、なさすぎてもダメ」。とは言え、見込みで商売をする以上、在庫は持つ必要があります。では、どのくらいが適切な量と言えるのでしょうか。

先ほどの回転寿司店を例に考えてみましょう。顧客も満足し、店にとってもベストな状態が実現できれば望ましい状態と言えます。

顧客にとってよい状態とは、欲しいものはすべてあるという状態です。店にとってよい状態とは？　じつは同じなのです。顧客が満足するものがすべて揃っていれば店にとってもよい状態です。しかし、店にとっては「それ以上は1つもいらない」という条件が付きます。顧客が満足する在庫があれば、それ以上は不要なのです。

来店した顧客が10人の時は10人が満足する内容と量の寿司、50人の時は50人が満足する内容と量の寿司が提供できればよいのです。「それ以上」はいりません。

つまり、在庫管理とは、需要に合わせて在庫を必要最小限の量に維持することなのです。

必ずしも在庫削減ではない

　在庫管理と言うと「在庫を減らすこと」だと思われることも多いようです。会社の業績が悪化した時などに、経営者が「在庫を減らせ」と号令をかけるような話をよく聞くからでしょう。

　もちろん、在庫が過剰な場合には在庫削減を目指すべきですが、在庫管理に改善すべき点がある場合、在庫は「多すぎる」だけでなく「少なすぎる」ということもあるのです。

　在庫が少なすぎる場合、「欠品」という問題が起こります。欠品とは、顧客が注文をくれた時に渡せる商品がないことを言います。発売前に抽選で申し込みを受け付け、申し込みが殺到するような商品であれば、一時期、欠品しても顧客は次の入荷を待ってくれるでしょう。ですが、汎用的な商品であれば、顧客は別のところで似たような商品を調達するでしょうから、売り上げを逃してしまうことになります。これを「売り上げロス」と呼びます。

必要最小限の在庫量は計算式で求められる

　在庫は、欠品を出さない量を持っていなければならない一方で、過剰在庫にならないように抑え込まねばなりません。在庫管理が難しいと言われるのは、需要が変化するからです。

　需要の変化に合わせて在庫を必要最小限の量に維持するために、手掛かりになるのは「過去実績」です。

　アイテムごとの過去の出荷情報をもとに、いつ、いくつ発注し、手元にどれくらい在庫として置いておけば欠品せず、過剰在庫にもならないかは計算で求めることができます。計算式については第3章で詳しく説明します。

ライフサイクルを見極める

　商品にはライフサイクルがあります。商品が生まれてから市場に認知されて売れてゆき、その後売れなくなったら市場から撤退します。この一連の流れがライフサイクルです。

　市場に初めて投入される時を「導入期」と呼びます。導入期の在庫管理は非常に難しいものです。なぜなら在庫管理の唯一の手掛かりである「過去データ」が存在しないからです。

　市場に受け入れられ、継続的に売れている期間は「成長・成熟期」です。成長・成熟期には、過去の出荷実績をもとに、在庫量を計算式で管理することが可能です。

　やがて売れなくなり「衰退期」がやってきます。衰退期の商品は、「なるべく売り切る」ことが目標になります。この時期は在庫量が減ってきても「あえて補充発注をしない」判断をしなければなりません。

　この意思決定が遅いと、在庫を大量に抱えたまま販売機会を逃すことになりかねません。「成長・成熟期」から「衰退期」に移行したと判断すべき条件については、なるべく人の意思を介さずに警告が出るようなルールを決めておくことが推奨されます。

　「人」に任せておくと、どうしても常に欠品を恐れる傾向が強く出てしまうことから、補充発注をやめる意思決定が遅れがちになってしまうためです。

全体最適を実現し、利益を増やす

　全体最適とは、市場の需要動向に合わせて、会社の供給活動を最

適にするという意味です。会社には複数の部門がありますが、一部の部門のみが市場に合わせた活動を行っても「全体最適」とは言えません。「全体最適」は、会社全体として在庫管理を行うことにより、実現されます。

供給活動が全体最適でない場合、過剰在庫や欠品が発生します。過剰在庫はいずれ価格を下げて販売することになり、利益を押し下げてしまいます。価格を下げても売れなかった場合、処分することになりますが、処分にも費用がかかるので、さらにコストがかかります。

欠品は、言うまでもなく売り上げを減らしてしまいます。

このような事態にならないよう、在庫管理をきちんと行うことにより全体最適を実現すれば、余計なコストをかけず、売り上げを逃さずに済むので、利益が増えるというわけです。

サプライチェーンで 全体最適を目指す

サプライチェーンとは何か

　サプライチェーン（Supply chain）とは日本語で供給連鎖と訳され、ある商品を市場に供給するために関与する複数の企業のことを指します。「供給」が「鎖」のように連なっているのでそう呼ばれます。

　市場にどれだけの商品を供給できるかで、そのサプライチェーンの力をはかることができますが、その力は、サプライチェーンを構成する企業それぞれの合算ではなく、最も弱い企業の力とイコールになります。

　例えば、企業Aがペットボトルの中身を作り、企業Bがボトルを作り、企業Cがラベルを作っているとします。A社もB社も1万本分の生産・出荷をしても、C社が5千本分のラベルしか作れなければ、市場に供給できる商品は5千本でしかありません。

　A社もB社も、もちろんC社も、供給できれば売れたはずの売り上げを逃したことになります。

　このようなことにならないよう、サプライチェーンを全体として管理しようという取り組みがSCM（Supply Chain Management）です。

サプライチェーンで全体最適とは

「企業としての全体最適を実現すべき」と述べましたが、この取り組みをサプライチェーンにまで広げようというのがSCMです。

SCMを具体的に言うと、複数の企業で構成されるサプライチェーンをマネジメントして、需要に対して最適な供給活動を行うこと、すなわち「サプライチェーン全体として在庫管理を行うこと」なのです。先進的と言われるメーカーや問屋では、すでに取り組みが始まっており、効率を上げています。

例えば、繊維メーカーとアパレルSPAの例があります。アパレルSPAは展開する店舗の売り上げ状況を繊維メーカーに共有します。繊維メーカーでは、自社の繊維を使った製品の売り上げやアパレルSPAの工場在庫を見ながら、次の生産計画に反映させることができます。

需要の動向を踏まえた生産ができるので、欠品、過剰発注の発生を可能なかぎり、減らすことができます。市場で売れている時に売れているものを生産することができるのです。

在庫にかかわる費用には どんなものがあるか

在庫調達にかかるコスト

在庫そのものにかかる費用の他、在庫を持つために人が手間をかけているとしたら、それも在庫にかかわる費用だと言えます。ここで、どのようなものがあるかを洗い出してみましょう。

まず、在庫の「入り」の部分、「調達」や「生産」「仕入れ」などがありますが、これらの活動をすべて発注と呼ぶことにします。発注とは、どの商品を、いくつ在庫するかを決めて注文する活動です。今、在庫がいくつあるかを確かめたり、今後、その商品の販売状況はどうなるのかを考えたりといったことが行われます。発注コストとは、主に人件費だと言うことができます。

発注担当者が社員であれば、社員が行う業務は給料の範囲であり、すなわち固定費です。固定費の中で行われる業務については気にされていない可能性もありますが、残業が発生していたり、頻繁に欠品が発生して緊急対応が発生していたりするような場合、余計な人件費が発生していることになります。

在庫そのものにかかるコスト

在庫そのもののコストとは、原材料代、生産にかかるコストや、商品代として仕入れ先に支払う費用です。

仕入れ単価や生産単価は、量をまとめることにより低く抑えられ

ることもありますが、ここでの単価低減が利益増大に結びつくのは、すべて売り切れた場合のみということには注意が必要です。また、大量生産によって生産単価を抑えても、作った分が大量に売れ残ってしまったならば、結果的には高くついたことになってしまいます。

在庫保管にかかるコスト

在庫を維持するには、保管スペースが必要です。保管スペースにかかる費用としては賃借料、保険料、水道光熱費などがあります。入出庫や管理のための人件費もあります。

保管スペースは、一度用意すると固定費となって、コスト削減の対象から外れることが多くなります。今の大きさが本当に必要なのか、今の場所でいいのか、定期的に検討すべきでしょう。

売り上げ拡大・事業規模の成長をにらんで大きめに保管スペースを用意していたような場合、「場所があるから置いておこう」と、在庫量がいつの間にか膨らんでいる場合もあります。余裕のあるスペースには注意が必要です。在庫が予定より多くなると、決まった場所に入りきらないなどの問題が起こり、ミスの発生や作業効率が下がって、余計な作業代が発生することも起こります。在庫量を適正に抑え込むことは、作業コストの適正化にも効くのです。

在庫維持にかかる金利

在庫そのものにかかる費用として「金利」もあります。在庫の生産・購入には現金が投入されていますが、銀行からの借り入れでこれを賄っているならば、ここに利息がかかっています。これも在庫の維持にかかるコストです。

また余分な在庫を持っているとしたら、その分の借金はしなくて

よかったわけで、その分の利息は余分なコストになります。この点でも、在庫を絞り込むことは、在庫の維持コストを抑えることにつながります。

在庫維持によるリスク

在庫には、流行の変化などにより、商品の価値（価格）が下がるリスクがあります。価値（価格）が下がった分、想定していた売り上げが得られないことになるので、利益が減ってしまいます。

また長期間の保管によって発生するリスクがあります。倉庫で破損したり、品質が劣化したりするリスクです。そうなると、商品として販売できなくなるので、それまでかけてきたコストがムダになってしまいます。

在庫廃棄にかかるコスト

在庫の処理で最悪の事態は、値下げしても売れないことです。それでも売れないと、在庫を廃棄するためにコストをかけねばならないことになりますが、在庫の費用として、最も回避すべきものです。

もし、廃棄コストが発生していたならば、それはムダなコストの「大きな氷山の一角」でもありますが、「宝の山」でもあります。

廃棄コストがかかったということは、その商品の調達、購入、保管すべてのステップで、本来かけなくてもよいコストがかかっていたことになり、これらは改善余地という見方ができるからです。

廃棄された在庫とは、そもそも用意する必要がなかった在庫です。本当に必要な在庫かどうかを見極めることができれば、廃棄コストを最小限に抑えることができるはずです。

在庫は決算書にどう表れるか

財務諸表は会社の健康診断表

　会社の経営状況は財務諸表に表れます。在庫管理がきちんと行われていない場合、会社の健康状態はどうなるのでしょうか。

　先に記したように、会社にとって現金は「血液」であり、在庫は「コレステロール」に例えられます。コレステロールは、健康で丈夫な体を維持するのに必要なものですが、多すぎると血栓などを引き起こして血液の流れを悪くし、健康を阻害してしまいます。

　在庫も同じで、多すぎれば血液＝現金の流れを阻害し、会社の健康状態を悪くしてしまいます。

貸借対照表と在庫

　在庫に着目して、会社の財務諸表をチェックしていきましょう。主な財務諸表として「貸借対照表」「損益計算書」「キャッシュフロー計算書」の3つがあります。それぞれ順番に「Balance sheet」を略して「B/S（ビーエス）」、「Profit and loss statement」を略して「P/L（ピーエル）」、「Cash flow statement」を略して「C/S（シーエス）」とも呼ばれます。貸借対照表は、会社が事業に使う資金をどのように調達し、どのような形で使っているかを示すものです。じつは、ここに「在庫」が登場しますが、違う名前で登場するので知らない方もいるかもしれません。探してみてください。

図　貸借対照表のイメージ

資産	負債
流動資産　　現金及び預金　　棚卸資産　**固定資産**　　有形固定資産　　無形固定資産	**流動負債**　　支払手形及び買掛金　**固定負債**
	資本　　株主資本　　評価・換算差額等

　貸借対照表の右側には、資金の調達方法が示されます。事業資金の調達方法ですから、銀行などからの借り入れ、株主から集めた資本金、会社がこれまでに得た利益などがあります。これらが「負債」ないし「総資産」として整理され、右側に示されます。

　貸借対照表の左側には、そうやって集めた資金を使って何を買ったのか、現金のまま保有しているのか、その状態が示されます。

　建物や設備などの固定資産になっている場合もあれば、株式を購入している場合もあります。これらは、どれだけ現金化しやすいかという点から、「流動資産」と「固定資産」に分けられています。流動資産は「１年以内に現金化できる資産」とされます。「預金」は現金ですので、もちろんこの範疇であることは理解されやすいと思いますが、その他、商品在庫や売掛金なども流動資産に区分されます。実際には「もう５年も保管されている」という在庫であろうとも、区分としては「流動資産」になります。

　貸借対照表をバランスシート（B/S）と呼ぶのは、右側と左側が

必ず同じ金額になるように作成するからです。

　さて、在庫がどこに表れているか見つかったでしょうか。

　在庫は、流動資産の中の「棚卸資産」に計上されます。棚卸資産が計上されていれば、会社は、何らかの方法で得た現金を使い、在庫を保持していることになります。

損益計算書で経営状況を見る

　損益計算書は、四半期、1年といった一定の期間で、「会社が儲かったのか、そうでなかったのか」を見るものです。損益計算書を見ると、どれくらいのお金を使い、どれくらい儲けたのかがわかります。売上高から仕入れにかかった費用である売上原価を引いたものが売上総利益です。そこから販管費及び一般管理費（「販管費」と略します）を引いたものが営業利益です。

図 損益計算書のイメージ

科目	金額
売上高	2000
売上原価	1100
売上総利益	900
販管費及び一般管理費	250
営業利益	650
営業外収益	20
営業外費用	10
経常利益	660
特別利益	0
特別損失	5
税引前当期純利益	655
法人税等	200
当期純利益	455

　在庫とのかかわりで発生する費用としては、販管費の中に含まれる「物流関連の費用」があります。これは、在庫の保管や移動によって発生する費用です。例えば、在庫が増えて大きなスペースが必要になった場合、倉庫の家賃が増えます。

　また、ある拠点で在庫が過剰になった場合、「他のエリアならば売れるかもしれない」といった推測をして、在庫の転送を行ったりします。これにより輸送費が発生します。同様に、ある拠点で欠品が発生した場合、在庫量に余裕のある別の拠点から在庫の転送を行ったり、工場倉庫から緊急補充を行ったりします。余計な輸送費や緊急対応の割高な費用がかかったりします。

　つまり在庫が過剰だったり、逆に過少だったりすることは、営業利益を減らす要因になるのです。

キャッシュフロー計算書で黒字倒産を避ける

　キャッシュフロー計算書とは「現金の流れの計算書」のことで、四半期、１年といった一定期間のうちに、現金がどれだけ出て行き、どれだけ入ってきたかを表します。

　会社を健康に保つためには、財務諸表の中で最も重要かもしれません。キャッシュフロー計算書の作成が義務付けられているのは上場企業だけですが、中小企業こそ現金の流れに注意を払っておく必要があるでしょう。

　"黒字倒産"というのは、損益計算書上では黒字、つまり利益が出ているのに、支払いの時期が来たときに、支払うべき現金が足りな

いなど、資金繰りがうまくいかず倒産してしまうことです。これは
キャッシュフローがうまく管理されていなかったために起きてしま
う悲劇です。お金をかけて生産または仕入れた在庫が大量に倉庫に
眠っているような状態も、黒字倒産につながることがあります。

在庫の滞留は会社の血行を悪くする

キャッシュフローと在庫の関係を見てみましょう。在庫は会社が
お金を出して買った商品です。つまり、在庫とは現金が形を変えた
ものです。

現金のままであれば使いみちはどうにでもなりますが、在庫に
なってしまった後は、これが会社で使える現金になって戻ってくる
ためには、販売し、代金を受け取らなければなりません。

在庫を顧客に販売すれば、損益計算書上では「売上」となり、利
益も計上されます。ところが、キャッシュフローという点では、そ
れではまだ安心できないのです。

安心できない、というのは、実際の入金はまだ先かもしれないか
らです。入金はまだされていないのに、その前に大きな支払いの期
限が来てしまったら、経営上危機的な状況になりかねません。

会社の健康状態からすると、必要以上に在庫が多い会社は、健康
とは言えません。在庫のかたまりによって現金の流れが滞って、「血
行」が悪い状態になっています。

長期不良在庫は評価損として計上できる

流動資産は、「1年以内に現金化できる資産」という意味を持って
います。そこでチェックすべきなのが、今ある在庫は、きちんと

"流動"しているのか、つまり「売ろうとしたら、ちゃんと買ってもらえる在庫なのか」ということです。

　何年も倉庫に眠っているような在庫の中には、「1年以内に現金化できる資産」とは言えないものがあるかもしれません。その在庫が、購入した時と同じ価値を現在も持っているのかは、状況次第です。

　もし、あなたの会社の貸借対照表に、何年も持っているような在庫が、昔のままの金額で計上されているとしたら、改善の余地があるかもしれません。

　なぜなら、時価が下落していたら、「低くなった時価で資産を評価する」ことができるからです。著しく価値が下がっている場合は、その分を評価損として計上することができます。節税対策になるかもしれないので、税理士に相談してみてください。

持続可能な物流に業界全体の
サプライチェーンで取り組む

自社だけでできることは限界がある

　来る物流危機に備え、物流業務は徹底的なムダの削減が必要ですが、自社でできることには限界があります。

　しかし、サプライチェーンとして取り組めば、1社では到底不可能な改善が可能になります。例えば加工食品の納品に関わる「3分の1ルール」（第6章で詳細を解説します）が緩和されることで、物流及び在庫管理は大きく変わります。

　廃棄される量は確実に少なくなります。廃棄の減少は、企業の経営状況に直接作用します。損失が減り、利益率の向上につながるからです。

　納品リードタイムを伸ばすことで、日々の物流の現場からムダを省き、高い生産性を維持した環境を作ることができるので、物流コストの削減が可能になります。

　今後、供給力が弱まっていく物流機能に対し、自社の物流を持続可能なものにするには、自社でできるレベルを超えて、サプライチェーンとして極限まで物流を絞り込んでいく必要があるでしょう。

　物流の持続可能性を高めるための取り組みとして、本書で紹介しているものはすべて、物流コストダウンに役立つ内容です。「納品リードタイムを伸ばすことで、在庫が増える」という指摘はありま

すが、在庫が多少増えたところで、制約条件であるドライバーへの悪影響はほとんどありません。

　物流コストダウンと物流危機への対応は、両立できるのです。ただ、今後、物流コストは高騰していく一方であると推測され、コストダウンと言っても、コストアップを抑制するという施策が中心になってくると思われます。

物流で競争する余裕はなくなる

「物流で競争する」というのは、物流サービスで競争するということです。物流サービスとは、「早い、細かい、顧客の言うとおり」というのが昭和から平成にかけて常識とされていました。

「早い」＝注文したらすぐ。「細かい」＝１個からでも。「顧客の言うとおり」＝顧客の望む付帯作業などの実施。じつはこれらは顧客の望みを叶えているようでいて、「本質的に顧客のためになっているか」と言えば、そうではないと考えられるようになってきています。

　このような物流サービスを行っていると、必然的に高コストになります。短い付き合いならばともかく、長く取引を続けるのであれば、取引相手に高コストな体質の企業を選ぶのは得策ではないでしょう。

　もし、このような物流サービスを今後も行い続けると、作業者の人件費も高騰していきますから、ますます高コストになっていくと想像されます。

　また、「細かい」物流を行うということは、必然的に車両の積載率が落ちることになります。自社のトラックでなければ、非効率を理由に集荷に来てくれなくなるかもしれません。

　企業も消費者も、商品情報は広くインターネットで簡単に把握で

きます。高コストな体質の企業が含まれるサプライチェーンは、そうでないサプライチェーンと比較して、コストパフォーマンスのよい商品を市場に供給し続けることができるでしょうか。

　同じような商品が扱われているのなら、コストパフォーマンスのよいサプライチェーンから買うほうが、企業においても、消費者においても、安心して付き合えるのではないでしょうか。

　今後は、物流サービスで競争できる環境ではなくなっていくと考えられます。

業界全体で取り組めば絶大な効果が生まれる

　サプライチェーンで取り組むことで、大きな物流のムダを省くことができます。製品の製造から市場に向かっていく供給活動（サプライチェーン）をタテの流れとすれば、同業他社は「ヨコのつながり」とみることができます。

　あらゆる企業がムダのない物流を目指し始めたら、サプライチェーン同士が助け合って物流を行うことも自然な流れであると考えられます。

　これが実現すれば、「タテの流れ」「ヨコのつながり」の両方から、さらに徹底してムダを省き、効率のよい物流が実現するでしょう。

　例えば、1つのサプライチェーンではトラックが満載にならない場合でも、複数のサプライチェーンで積み合わせを行えば満載に近付けることが可能です。

　似通った製品のサプライチェーンであれば、物流の特性や経由地が似通っていることも考えられます。トラックや物流センターを共同で使うことも考えられるでしょう。

効率化の土台〜プラットフォーム〜

物流危機への対応策の1つとして、同じプラットフォームを複数の企業で共同利用するという考えが登場しています。

プラットフォームとは、情報システムの場合もありますし、輸送システムの場合もあります。

似通った物流特性を持つ企業が複数あるならば、それぞれに物流システムを構築するのではなく、「できあがった物流システムを利用するというかたちで物流を行えばよいのではないか?」という考え方です。

このような考え方の一環として、今、"フィジカルインターネット"が注目されています。インターネットの中を移動するパケット(データの単位)のような、決まった大きさの入れ物を利用して、複数の企業で物流を共同利用しようというものです。

未来の物流の姿に向けたロードマップは知っておくとよいでしょう。

第3章

在庫量の
コントロールを
いかに成功させるか

在庫管理は「発注」がすべて

在庫量を究極に絞り込めば「1日分」

　在庫はないのが一番理想的ですが、さまざまな事情から在庫を持たねばならない場合、まず目指していただきたい在庫量は「1日分」です。

　それは現実的でないと思われるかもしれませんが、検討の出発点としては究極に絞り込んだところを目標にしないと、在庫削減への道筋が描けなくなってしまいます。

　「1日分の在庫で商売をする」ところからスタートして、「現実的には○○という事情があって無理」という条件があれば、それぞれ検討し、商品ごとに対応可能な必要最小限の在庫量を見つけ出していきましょう。

　在庫量を最小限まで絞り込めない原因となる条件は「制約条件」と呼ばれます。後で詳しく解説しますが、制約条件とは「在庫量をそれ以上に減らすことができない制約」のことです。

　制約条件には、例えば発注ロットや生産ロットがあります。「100個だけ注文したい」場合にも、発注ロットが1000個ならば1000個発注しなければならないという制約になるわけです。

「1日分」をどう計算するか

　では、理想形である「在庫量1日分」は、どう計算すればよいのでしょうか。在庫管理はアイテムごとに行うので、アイテムごとに「1日分」を計算することになります。

　1日に必要な在庫量とは、当然ながら「1日分の仕事に必要な量」です。当たり前ではありますが、今日の分ではなく、明日の仕事に必要な量です。「明日の顧客の注文に過不足なく対応できる量」と言い換えることもできます。

　つまり、「顧客からの1日分の注文データ」こそが、「必要な在庫量1日分」を計算するベースとなるわけです。

　顧客からの注文内容は日々一定ではありません。日によって「1日分」は異なるわけですが、「明日の1日分」について、何とか推定しなければなりません。推定の材料として最も適しているのは、同じ商品の過去の出荷状況でしょう。

　ここから、過去の何日分かの出荷量の平均値、つまり「平均して、1日でどれくらい出荷されているのか」を取ればよいのでは、という予測が出てくるはずです。これが「1日当たり平均出荷量」です。

「1日当たり平均出荷量」がカギ

基本的に「過去1年間」を対象にする

では、「1日当たり平均出荷量」は、過去何日分を対象に計算するのがよいのでしょうか。1年以上販売する予定の商品や、すでに販売している商品であれば、「過去1年分」が検討のベースとなります。2～3年分あれば、さらに精度が上げられます。販売期間が短い季節品については、第4章で詳細を説明します。

該当商品に毎年の傾向として季節波動があるならば、1日当たり平均出荷量をベースに、この時期は2割増、この時期は1割減というように指数を設定し、調整していきます（季節波動についても第4章で説明します）。

1日当たり平均出荷量は、アイテムごとに計算するのがポイントです。また、計算の対象期間は、日々、移動させていきます。

次ページの図表は、1日当たり平均出荷量を計算する場合のイメージです。わかりやすいように短期間を対象に計算する方法を示しています。計算対象とする部分は図表の下の帯で示されていますが、計算の範囲が"移動"しているのがおわかりになるでしょう。20日時点では計算対象は10～20日の10個のデータ、21日時点では12日～21日の10個のデータの平均値を計算しています。

図 移動平均値の求め方

10日	11日	12日	13日	14日	15日	16日	17日	18日	19日	20日	21日	22日
4	0	4	5	10	7	15	15	10	12	15	18	22

| 10 | | 9 | 8 | 7 | 6 | 5 | 4 | 3 | 2 | 1 | | |

9.7

| | | 10 | 9 | 8 | 7 | 6 | 5 | 4 | 3 | 2 | 1 | |

11.1

| | | | 10 | 9 | 8 | 7 | 6 | 5 | 4 | 3 | 2 | 1 |

12.9

“平均的に売れる力”を見極める

「１日当たり平均出荷量」について、なぜ「過去１年分」が対象なのかと言うと、その商品の年間を通しての平均的な売れる力を見極めたいからです。

　通年販売されている商品の販売動向は、日々、多少の増減があるものの、およそ一定の範囲内に収まるだろうという仮説が根拠となっています。

　なるべく直近の傾向をつかむほうが、明日の需要が正確に予測できるのではないかという考え方はもちろんあります。もし、直近の過去１か月だけを対象に１日当たり平均出荷量を計算した場合、「１年」を対象にするよりも、計算結果は需要の変動に敏感に反応することになります。

　出荷量が少ない時期の１日当たり平均出荷量は小さな数値、出荷

量が多い時期は、当然ながら大きな数値になります。「需要の変動に合わせて、うまく管理できる」と思われるかもしれませんが、出荷量が少ない時期に、出荷量に合わせて在庫が絞り込まれると、出荷量が増えてきた時に在庫の補充が間に合わないことがあるのです。すなわち、欠品が発生するリスクがあるということです。

　過去1年間を対象に1日当たり平均出荷量を計算する場合、先ほどの例とは逆に「在庫が過剰になるのではないか」という疑問が出るかと思います。

　確かに一時的に在庫が過剰な状態になることはあるかもしれませんが、年間の出荷量で考えると、出荷が少ない時期の一定期間のことであり、出荷量が年間平均値またはそれ以上の時期になれば、その状態は解消されます。2～3年以上販売する商品であれば、販売期間中に平均値にならされ、問題にはならないはずです。

売れ行きの変化を見極める

　もし、商品の需要が短期間に急激に増大している、あるいは減少しているという状況の変化があるならば、早めに気づき、対応する必要があります。

　年間データを対象に計算する1日当たり平均出荷量は、前述したように出荷量の変化があっても、敏感には反応しないので、このデータだけ見ていても需要の増減に気がつかない可能性があります。

　需要の変化に早めに気づくために、日々の出荷量の変化を短期間でチェックする方法があります。日々のデータをそのまま使うと変動が多くて傾向がつかみづらいので、週単位でデータをまとめるほ

うがわかりやすいです。

　ExcelではWEEKNUMという関数を利用すると、日付から簡単にその年の何週目に当たるかを計算できます。

　週単位で出荷量を合計したうえで、その変化を見ておいてください。例えば、「3週間連続」の変化は1つの目安になりそうです。

「３週間連続で前週の出荷量を上回った」「３週間連続で平均の1.5倍を超えた」といった状態があれば、出荷量増大のサインとして、在庫の持ち方を変える必要がないかを検討するのです。もちろん逆に出荷量の減少のサインがあった場合も同様です。

　検討の結果、今後もその傾向が続きそうであれば、在庫量を調整しなければなりません。具体的には、１日当たり平均出荷量を調整する方法が推奨されます。

　闇雲に数字を調整してしまうと、なぜ成功または失敗したのかという仮説検証ができなくなるので、１日当たり平均出荷量を、例えば過去３か月の日々の出荷データの平均値に置き換えるといったことが推奨されます。

在庫は「日数」で管理する

在庫管理は「金額」ではなく「量」で行う

　財務諸表において、在庫は「棚卸資産」として金額で表されています。経営トップが「在庫を1割削減せよ」と言った場合、「在庫金額を1割下げよ」という意味だと考えてよいでしょう。

　しかし、物流センターなどで行われる日常の在庫管理業務においては、在庫は金額ではなく、個数や重量など、顧客からの注文に合わせた単位で把握する必要があります。これは、在庫管理を実行するための前提条件でもあり、改善効果を正確に把握するためでもあります。

　商品には高価なものもあれば安価なものもあります。1個10万円の商品Aは、たった1つしか在庫がなくても10万円分の在庫があることになりますし、1個100円の商品Bは、100個あっても1万円分の在庫にしかなりません。前者のような状況では商品Aの在庫（の金額）を1割下げるなど不可能です。

　日常的な在庫管理や改善目標の設定は「個数」や「重量」など、顧客が注文してくる単位で行います。これらは「金額ではない」という意味で、本書では「量」と総称したいと思います。

　在庫は「量」で把握し、管理しなければなりません。商品ごとに色やサイズがある場合は、それらも別々に把握する必要があります。

　もし、データベースには在庫金額しか入っていない状態であれば、その現場ではまだ「正確な在庫管理」が行われていないということになるでしょう。

在庫の「量だけ」見ても意味がない

　在庫は「量」で見なければなりませんが、一方で「在庫量だけ」を見ても意味がありません。例えば３つの異なる商品の在庫がそれぞれ500個あったとします。この在庫は適正だと思いますか？

「これだけの情報では多いとも少ないとも言えない」というのが正解です。「今○個あります」という在庫の量の情報だけでは、在庫が多いか少ないかを判断することはできません。今どれくらい売れているのか、売れ行きに関する情報と比較して初めて、在庫量が適正かどうかを判断できるのです。

　そこで役立つのが先ほど説明した「１日当たり平均出荷量」です。このデータを使って在庫量の割り算をすれば、今の売れ行きから、在庫量が何日分になるかがわかります。加えて、在庫削減の余地があるかどうかもわかります。

在庫の量を日数に換算すれば意味が見えてくる

　先に挙げた３つの商品の売れ行きを見てみましょう。

　在庫量はみな500個でした。在庫量とそれぞれの商品の１日当たり平均出荷量を対照し、下記の割り算をしてみましょう。

在庫量÷１日当たり平均出荷量

この割り算により、「今の在庫量で何日分の出荷に対応できるか」

がわかります。これを「出荷対応日数」と呼びます。

図 出荷対応日数を算出してみよう

	在庫量	1日当たり平均出荷量	出荷対応日数
商品C	500個	1000個	①
商品D	500個	500個	②
商品E	500個	10個	③

　シンプルな割り算ですから計算は簡単でしょう。回答は、①0.5日分、②1日分、③50日分となります。
　在庫量は同じ500個でも、出荷状況によって出荷対応日数が1日分に満たなかったり、50日分になったりするのです。

　商品Cは0.5日分しかありませんから、明日の出荷に支障が出そうです。平均的な注文があれば欠品してしまうでしょう。商品Dはちょうど1日分なので、ぎりぎり間に合うかもしれません。商品Eは50日分もあるので、しばらく在庫の補充は不要でしょう。

「500個」という在庫量だけでは、どう解釈すべきかを判断できませんが、このように日数に換算すれば、「足りなくなりそうだからすぐに補充しよう」「しばらくはこれで足りるから発注はしないでおこう」といった判断ができるのです。

在庫管理に必要な3つの日数

　在庫管理には3つの「日数」が必要です。

❶出荷対応日数

❷リードタイム日数

❸在庫日数

①出荷対応日数は、ここまで説明したように、今の在庫量が出荷状況から見て何日分の出荷量に相当するかを表すものです。在庫量や出荷状況に応じて、日々変動する値です。

在庫管理は、需要が変動するからこそ必要なものです。そう考えると、現在の在庫量が出荷状況から見て何日分の出荷量に相当するかを表してくれる「出荷対応日数」は最も大切な情報と言ってもよいでしょう。

②のリードタイム日数とは、注文したら何日後に納品してもらえるのか、使用可能になるのかという日数です。商品により、また調達先により、取引条件として決まっているはずの日数です。

リードタイム日数とは、会社間のみでなく、社内の、例えば生産部門に対して生産を依頼したら何日後に使用可能になるかといった場合にも用いる考え方です。

いずれにしても、在庫を調達する側が自由に決められる日数ではありません。在庫管理上の大きな制約となりうる条件の1つです。

③の在庫日数とは、自社または自部門で決めるもので、それぞれの商品について「何日分の在庫を持つか」を決めたものです。

在庫は必要最小限の量であるべきという考え方に則れば、究極的には在庫量は「1日分」となりますが、もし、在庫量を「1日分」と設定した商品がよく出荷される商品の場合、毎日発注し、毎日補充

が行われることになります。

　それは業務運営上、望ましくない場合、発注業務の負荷や在庫補充の受け入れ体制などを考慮して在庫日数を設定します。

　高頻度で出荷される商品の場合、ほぼ「在庫日数＝補充間隔」となります。つまり、在庫日数を「5日」とすれば、出荷量に大きな変化がない限り、5日間隔で補充が行われることになります。

　また、在庫補充が行われた際に、何日分もまとめて入荷されると倉庫内の場所をとりすぎるという理由から、補充受入回数が増えようとも、あえて在庫日数を小さくするという選択肢ももちろんあり得ます。

　在庫管理部門で自由に決められる数値は「在庫日数」しかありません。これをどう考えるかで、その会社の在庫管理ルールが決まります。

適正在庫量とは何か

適正在庫量は制約条件で決まる

　在庫管理にかかわる相談を受ける際に「適正在庫を知りたい」「適正在庫を維持したい」といった言葉をよく聞きます。

　本来、適正在庫とは、「自社において持つべき在庫量」であり、とくに制約がなければ「自ら決めた在庫日数分」のことです。

　しかし、在庫管理上、いくつかしがらみが存在する場合があります。発注できる日付や曜日が限定されていたり、発注量の単位が定められていたり……。これらは「制約条件」と呼ばれます。

「適正在庫」には、これらを踏まえた定義があり、商品ごとに在庫量の算定も可能です。定義は下記のとおりです。

- 「適正在庫」：与えられた制約条件のうち、最も大きなものに対応した在庫量。すなわち、現在、その商品を取り扱うにあたり、持たざるを得ない在庫量

　制約条件があると、その商品の在庫量は、「制約条件にしたがって、持たざるを得ない在庫量が決められてしまう」ことになります。

制約条件があると適正在庫量はどう変わるか

　在庫管理上の制約条件になり得る要因は複数あるのですが、ここ

では、イメージとしてわかりやすい「最小発注ロット」を例に、適正在庫量がいくつになるか、考えてみましょう。

● 【問題】

　商品Ｆの現在の売れ行きは、毎日平均10個です。発注担当者は、基本的にどの商品も７日分ずつ発注するようにしています。ただし、この商品は最小発注ロットが1000個という条件があります。

　在庫が減ってきたので発注を検討します。この場合、発注担当者が発注したいと考える量はどのくらいでしょうか？　また、実際の発注量はいくつになるでしょうか？

● 【回答】

　発注担当者が発注したい量は、「10個×７日」により70個です。しかし、実際の発注量は「1000個」です。最小発注ロットが「1000個」なので、希望の数がそれを下回っていた場合、そこまで発注数を引き上げねばならないからです。

　在庫管理とは、在庫を必要最小限に絞り込むことをよしとしますが、制約条件があると、その絞り込みを邪魔してしまうのです。

適正在庫量を超えたものが過剰在庫

　商品Ｆは売れ行きから判断される必要な在庫量が70個だとしても、最小発注ロットの約束のために1000個発注しなければなりません。

　1000個補充された瞬間には、下記の計算式により、「100日分」の在庫を持っていることになってしまいます。

1000個÷10個（１日当たり平均出荷量）＝100日分

100日分の在庫を持っているとなれば「過剰」と思う読者もいるかもしれませんが、この場合、「過剰」ではないのです。制約条件どおりの在庫量を持っているだけだからです。

もちろん、必要量を大幅に上回っていることは確かなので、減らすことができれば望ましいです。ただし、減らすためには、制約条件の変更が不可欠です。

制約条件が変われば適正在庫量も変わる

制約条件が変化した場合、適正在庫量はどのように変わると思われるでしょうか。考えてみてください。

● 【問題】

取引先との交渉により、最小発注ロットをこれまでの半分の500個に減らしてもらうことができました。商品Ｆの現在の売れ行きは、毎日平均10個です。発注担当者が発注したい量はいくつでしょうか？ また、実際の発注個数はいくつになるでしょうか？

● 【回答】

発注担当者が発注したい量は、「10個×７日」により70個です。しかし、最小発注ロットが500個なので、500個発注することになります。

もし、制約条件（最小発注ロット）が小さくなったにもかかわらず、これまでと同じ1000個を発注していたら、誤った在庫管理をしていることになります。また、制約条件である500個を上回る在庫を持っているとしたら、それは「過剰在庫」と判断されます。

適正在庫量を
どうやって維持するか

発注法は「KKD」??

　制約条件がある以上、それも踏まえた適正在庫量に抑え込むことが、現実的に可能な「必要最小限の在庫量を維持する」ことになります。

　では、適正在庫量を維持するためには、どうすればよいのでしょうか。在庫管理の世界では、いまだに「KKD」という言葉を聞くことがあります。

　何度か登場しましたが「勘、経験、度胸」の頭文字をとったもので、発注量を決める際にまことしやかに囁かれている"手法"です。このような言葉が残っていることからも、「発注量を決めるのは大変困難である」と認識されてきたことが読み取れると思います。

　KKDでは、担当者のさまざまな思いに発注量が左右されることになりますが、未来を予測するのはベテランの発注担当者にとっても困難です。

頼れるのは過去実績という"現実"

　未来を正確に予測することは不可能です。しかし、「未来に近い状況」はデータで予測できます。直近までの過去実績が、一番、未

来に近い確実な情報です。

「KKD」に頼るのではなく、過去実績をもとに、「明日以降も同様の出荷状況だ」と仮定して、必要な在庫量を計算し、適切な補充を行っていくことにより、適正在庫量を維持するのです。

新商品の導入や取扱商品の入れ替えといった、過去データの延長では対応できない事態が起こる時以外は、基本的に過去データに則り、読み取れた傾向が今後も続くと想定することが、現在のところ、在庫管理に役立つ最も確かな未来予測につながります。

在庫の「入り」を計算式でコントロールする

在庫は顧客の注文に対応するために持つものですが、基本的に「出る」ほう、つまり「出荷」はコントロールできません。いつ、何が顧客に注文され、出荷されるかは、未来と同様、誰にも読めないからです。

在庫管理としてなすべきことは、「入り」をコントロールすることです。出荷状況と在庫状況をチェックし、適正在庫量を維持できるように発注するわけです（これを実現するための計算は、次節で紹介します）。

発注が行われた後、発注された内容にしたがって、いずれ在庫が補充され、出荷によって減少した在庫量が回復します。この繰り返しにより、欠品がなく、過剰在庫も発生しないように在庫量を管理していきます。これらは、計算式で管理可能です。

4つの発注法

発注をコントロールするために、発注法があります。発注法と言

うと、一般的に「４つの発注法」が知られています。

図 ４つの発注法

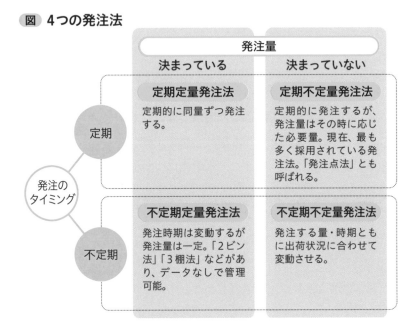

①発注するタイミングが定期的かどうか、②発注する量が決まっているかどうかという２つの要素から、４つに区分されています。

定期不定量発注法

発注できる時期に制約があるなら "定期" 発注

　発注法のうち、採用をおすすめしたいのは前ページの図表の右側の２つの方法です。この２つの共通点は「不定量」という点です。

　在庫管理は需要の変動に対応するために行うものですから、なるべく変化に対応する力が強い方法を採用する必要があります。そこで、発注する量を需要の変動に合わせられるよう、不定量にするべきだと考えるのです。

　発注のタイミングは、定期と不定期があるわけですが、これは発注時期に制約があるかどうかで選択することになります。

　「○日あるいは○曜日が発注日と決まっている」というような場合、定期不定量発注法をとります。何も制約がなければ不定期を選択します。

最も普及している発注法

　定期不定量発注法は、おそらく日本で一番普及している発注法です。生産サイクルのあるメーカー、発注タイミングが決まっている流通業者などは、この方法を採用することになります。

　「発注時期に制約がある」とは、どういう場合かを見てみましょう。

　以下はすべて「発注時期に制約がある」と言える状況です。

- 週単位、旬単位、月単位などの生産サイクルにしたがって生産するメーカーである
- 「決まった日付」「〇曜日」など発注できるタイミングが決まっている
- 発注はいつでもできるが、それに応じて納品してもらえるタイミングは「〇曜日」などと決まっている

「〇日ごと」「〇曜日」のように、定期的に発注する時期が決まっているということから、「定期不定量発注法」と呼ばれるのです。

　生産サイクルのないメーカー、つまり毎日生産計画を立てているようなメーカーはあまりいないでしょうから、ほとんどのメーカーは、この方法を採用しているのが実情です。

　流通業者ならば生産サイクルにこだわる必要はないわけですが、自社の業務スケジュールとして発注日や発注曜日を決めているところはあります。取引先の都合で決まっていることもあります。このような場合にも、「定期不定量発注法」が採用されます。毎日発注業務を行うとしても、カテゴリーごとに発注可能日が決まっているといった場合には、やはり「定期不定量発注法」となります。

　制約なくいつでも発注できるという場合は、「不定期不定量発注法」が採用されます。こちらについては次の節で紹介します。

発注間隔がすなわち在庫量となる

　定期不定量の場合、「発注間隔がすなわち在庫量となる」という原則があります。つまり、１週間に１回発注するのであれば在庫量は「１週間分」、１か月に１回発注するのであれば、在庫量は「１か月分」ということです。

　下の図表を見てください。これは１週間に１回、生産を依頼しているものです。生産計画を週単位で立てているため、それに合わせた発注が必要になるわけです。生産計画を週単位で立てるものは「週次生産」、月単位で立てるものは「月次生産」と呼ばれます。

　発注（生産依頼）後、２週間後に「出荷可能」となっていますが、これはリードタイムを２週間と設定しているからです。毎週月曜日に「発注」が行われ、それに応じて生産が開始され、発注の２週間後には「出荷可能」となっているのがわかります。

図　発注とリードタイムの関係

	㊊	㊋	㊌	㊍	㊎
	1	2	3	4	5
1週目 ▶	発注①	生産①→			
	8	9	10	11	12
2週目 ▶	発注②	生産②→			生産完了①
	15	16	17	18	19
3週目 ▶	出荷可能① 発注③	生産③→			生産完了②
	22	23	24	25	26
4週目 ▶	出荷可能② 発注④	生産④→			生産完了③

ちなみに、リードタイムが３か月であろうと６か月であろうと、週単位で生産されるのであれば「週次生産」ですし、月単位で生産されるのであれば「月次生産」です。月次生産であれば月ごとの発注となり、発注量は１か月分です。

「不定量」で需要の変化に対応する

　発注する時期が限定されている場合、需要の変動には「発注量」で対応します。

　週次生産を例にとれば、発注日に「リードタイム後の１週間に必要な量」を予測し、発注します。予測よりも需要が少なかった場合は、出荷量が減るので在庫は多く残ります。これを「在庫残」と呼びます。

「在庫残」が多い場合、次の発注は、その分をおり込んで少なくしてよいことになります。逆に、予測よりも出荷が多かった場合、その分在庫は減りますから、多めの発注をすることになります。

「予測よりも出荷が多かったら在庫が足りないのではないか」と思われるかもしれませんが、ある程度の出荷の上振れに対応できるよう、「安全在庫」を常に持っておき、これで対応します（安全在庫については、本章第10節で詳しく説明します）。

基本の計算式

　定期不定量発注法では、「リードタイム後の１週間」とか「リードタイム後の１か月間」に必要となる在庫量を想定せねばなりません。少し先の未来を考えねばならないので、当たるかどうか不安はつきまといますが、できる限り発注量を根拠あるものとするために、過去の出荷データに基づいて発注量を計算していきます。

　ここでは毎週発注するパターンを想定して計算式を説明します。「来週こそ売り上げが伸びるかも」「そろそろ減るかも」といった根拠のない思惑はなるべく排除していくと、「今週と同様の売り上げが来週も続く」と考えるのがまずは妥当です（例年の傾向として季節波動があるならば、それは別におり込むとして第4章第3節で説明します）。

　週次の定期不定量発注の計算方法を見てみましょう。今は1週目の最初の日で発注量を計算するところです。図表の中の「？」が書いてある欄です。ここで発注したものは3週目に入荷されます。3週目の「？」のところに同じ数字が入るわけです。

図　発注量を算出してみよう

	0週目	1週目	2週目	3週目
発注	100	?		
入荷		95	100	?
出荷		100	100	100
発注残	195	100		
在庫残	① 100	95	95	② 100

　まず、発注の前に何個在庫があるかを確認します。①100個となっています。その後、発注しようとしているその時から、リードタイム後の1週間すなわち3週目の出荷が終わる時までに、いくつ入荷や出荷があるか（見込まれるか）計算します。

　また、定期不定量発注法の発注量は、いつでも「リードタイム後の1週間の出荷期間が終わった時に安全在庫だけが残っているように」発注します。こうすれば、欠品・過剰なく必要最小限の在庫量

を維持できます。ちなみにこの商品の安全在庫は100個であり、3週目の在庫残②にその数字が表れています。

　これらを踏まえると計算式は以下のようになります。「？」が計算できたら、それが1週目の発注量です。

在庫残＋入荷量合計－出荷量合計＋「？」＝100（残したい在庫）

　詳しく計算の中身を見ると、下記のようになっています。

在庫残＋入荷＝在庫残100＋入荷95＋入荷100
出荷量合計＝100＋100＋100（今週の販売状況が続くと考えての推定）

　これらを先ほどの式に入れると、「？」は「105」となります。

　このような手順で計算するのが定期不定量発注法です。ここでは「週次」で計算しましたが、週を月に置き換えれば「月次」の発注量も同様の考え方で計算できます。

忘れてはならない発注残

　前項の計算において、出荷量は過去の出荷実績から、今週も来週も同量の出荷が続くとして計算しました。この数字はあくまでも予測で、確定ではありません。実態に応じて変わる数字です。

　他方、入荷については、「入荷予定」を計算しましたが、この数字は確定しているものです。なぜなら、リードタイム前にすでに「発注」されたものであり、必ずその数量が入ってくるはずだからです。

　このデータは「発注残」と呼ばれます。発注は完了したけれども、まだ入荷していないことを表す数値ですが、在庫管理において、非常に重要なデータの1つです。

この数値は忘れないよう、必ず共有されなければなりません。そうしないと、すでに発注したことに気づかずに、誰かがまた発注してしまうかもしれないからです。あっという間に過剰在庫になってしまいます。

なるべく人の思惑に左右されないようにする

先の見通しは完全には読めませんから、リードタイムが長いときなど発注に担当者の勝手な思惑が入り込んでしまう可能性は否定できません。

計算式があっても、強い思惑を持つ担当者がいれば、計算結果には従わず、担当者の思惑が最優先されてしまう場合もあります。

そうなった場合に問題なのは、「何を考えて〇個発注した」のか、その仮説がわからないことです。仮説が社内で共有できている場合は、失敗から学び、検証できますが、仮説がわからないと検証もできません。

在庫管理の精度を上げていくためには、さまざまな仮説を立て、それを検証しながら、取引状況や商品の特性に合った方法を磨き込んでいくことが必要です。そのためには根拠のある仮説に基づいた判断が必要です。

データの裏付けのない「そろそろ売り上げが伸びるはず」といった感覚的な理由では、計算式におり込んでいくことはできません。仮説・検証は、必ずデータを用いて組み立てましょう。

不定期不定量発注法

発注時期に制約がないならこの発注法

　発注時期に制約がなければ、不定期不定量発注法が採用できます。流通業者の他、メーカーであっても、地方拠点から工場倉庫への発注であれば、この方法を採用できる可能性があります。

　定期不定量発注法よりも、人の思惑に左右されにくいという点で、精度の高い在庫管理がしやすいと言えるかもしれません。

　不定期不定量発注法を採用している場合、いつでも発注できるので、急に出荷が増えて在庫が減ってしまったら、慌てることなく発注すればよいだけです。逆に「出荷が減って在庫が余りがち」という状況になれば、発注しなければよいのです。定期不定量発注法に比べて、発注担当者のストレスは少ないと言えそうです。

いつでも発注できるから、在庫日数は自社で決める

　定期不定量発注法では、在庫量は発注間隔とイコールでした。週に1回発注するなら、1週間分の在庫量で運用するということです。

　不定期不定量発注法では、このような「発注間隔」は存在しません。「何日分の在庫を持つか」は自分で決めることになります。

　この時も「100個」とか「5000箱」のように商品の個数ではなく、「3日分」「1週間分」のように在庫日数で決めます。

　この在庫日数は、出荷状況が落ち着いていて、過去データから計算した１日分の平均出荷量がほぼ毎日出荷されていくならば、在庫補充の間隔と一致します。在庫日数を「３日分」と決めた商品があったならば、ほぼ３日おきに発注し、これに応じた在庫補充が行われることになります。

不定期不定量発注法の基本の動き

　不定期不定量発注法により在庫を管理する場合、在庫量は以下のような動きをすることになります。

図　不定期不定量発注法における在庫量の動き

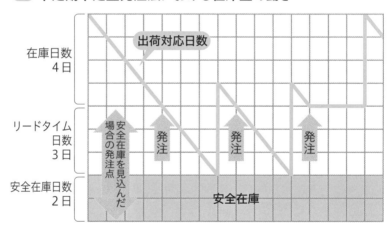

　縦軸、横軸とも、１つのメモリが１日を表しています。在庫量を日数に換算してグラフで表現しています。

　日数換算された在庫量がリードタイム日数のラインまで減ったところで発注すると、必要最小限の在庫量を維持できるわけです。しかし、現実的には安全在庫を常に確保しておきたいので、発注する

タイミングは「安全在庫日数＋リードタイム日数」（この例では5日）です。

　最初の発注点で「4日分」を発注しています。在庫日数が「4日」だからです。発注した後、リードタイム日数（すなわち3日）後に在庫量はほぼゼロになり（安全在庫だけを持っている状態）、発注した「4日分」の在庫量が補充されています。

　その後、5日分まで在庫量が減ったところで再び発注し……というように管理されていきます。在庫日数4日が発注間隔と一致していることに気がつくと思います。

　出荷がない日が続くと在庫量が9日分まで増加していますが、これ以上増えることはありません。在庫量が5日分まで減らない限り、発注しないからです。

基本の計算式

　不定期不定量発注法の基本の計算式を説明します。次ページの図表を見てください。

　この商品の発注量計算に必要な情報は、下記のとおりです。

在庫日数 4日、リードタイム日数 3日、安全在庫日数 2日

　これらの情報から発注点、つまり発注を決断すべきタイミングは、現有在庫量が「5日分」になった時となります。これはリードタイム日数（3日）に安全在庫日数（2日）を足したものです。

　必要な情報を確認したところで、「1日」の状況を見ながら計算方法を確認していきましょう。

　まず、図表の左側のデータ項目を見てください。これらは、在庫管理に必要なデータです。発注残も忘れずに把握し、計算にも含め

る必要があります。

図 不定期不定量発注法による在庫量の動き

		1日	2日	3日	4日	5日	6日	7日	8日	9日	10日
▼**在庫量チェック**											
出荷量	（個）	0	80	130	100	150	60	110	160	120	70
入荷量	（個）	0	0	0	400						
在庫量	（個）	**500**	420	290	590						
発注残	（個）	0	400	400	0						
▼**発注点チェック**											
1日当たり平均出荷量	（個）	100	100	100	100	100	100	100	100	100	100
現有量＝在庫量＋発注残	（個）	500	820	690	590						
現有量日数	（日）	5	8.2	6.9	5.9						
▼**発注量計算**											
発注点(LT日数+安全在庫)	（日）	5	5	5	5	5	5	5	5	5	5
現有量日数−発注点	（日）	0	3.2	1.9	0.9						
発注量（必要量−現有量）	（個）	**400**									

発注量＝次の補充までの必要量−現有在庫量

次の補充までの必要量＝（在庫日数＋リードタイム日数＋安全在庫日数）×１日当たり平均出荷量

現有量＝在庫量＋発注残

「在庫量チェック」の部分で、個数などの保管単位による在庫量をきちんと把握してください。

出荷があれば「発注点チェック」の部分で、発注すべきかどうかをチェックします。「１日」の現有量日数が「５日分」となっていま

す。これは発注点（5日）に一致しており、発注する必要がありますから、図表の一番下の「発注量計算」のブロックまで進みます。

　発注量を計算するためには、まず「現有量日数」と「発注点」の差を見ます。ここでは差がなかったので「0」です。

　発注量は、図表の下にあるように、「次の補充までの必要量」から「現有在庫量」を引いて求めます。

「1日」のデータをあてはめると、

$$次の補充までの必要量＝（4＋3＋2）×100＝900$$

$$現有量＝500$$

$$次の補充までの必要量（900）－現有量（500）＝400＝発注量$$

　この計算により、1日の発注量は400個となります。400個発注した後、リードタイム期間中である2日と3日において、発注量の400は「発注残」に計上されています。

　ここまでの解説で、不定期不定量発注法の動きがおわかりいただけたでしょうか。「5日」以降の在庫量の動きを計算してみて、いつ、いくつ発注すべきか、考えてみてください。

　回答は次ページの図表のとおりです。5日と9日に発注が行われています。「現有量日数－発注点」の引き算の答えがマイナスなのは、出荷量が多かったため、安全在庫に食い込んでしまったことを表しています。食い込んでしまった分を足して発注しているので、「1日」よりも発注量が多くなっています。

図 5日以降の在庫の動き（解答）

		1日	2日	3日	4日	5日	6日	7日	8日	9日	10日
▼在庫量チェック											
出荷量	（個）	0	80	130	100	**150**	60	110	160	**120**	70
入荷量	（個）	0	0	0	400	**0**	0	0	460	**0**	0
在庫量	（個）	500	420	290	590	**440**	380	270	570	**450**	380
発注残	（個）	0	400	400	0	**0**	460	460	0	**0**	450
▼発注点チェック											
1日当たり平均出荷量	（個）	100	100	100	100	100	100	100	100	100	100
現有量＝在庫量+発注残	（個）	500	820	690	590	**440**	840	730	570	**450**	830
現有量日数	（日）	5	8.2	6.9	5.9	**4.4**	8.4	7.3	5.7	**4.5**	8.3
▼発注量計算											
発注点(LT日数+安全在庫)(日)		5	5	5	5	**5**	5	5	5	**5**	5
現有量日数−発注点 (日)		0	3.2	1.9	0.9	**-0.6**	3.4	2.3	0.7	**-0.5**	3.3
発注量（必要量−現有量）(個)		400				**460**				**450**	

在庫日数と発注のタイミングの関係

「在庫日数」は自分の意思で決めると先に述べましたが、在庫量はどうなるでしょうか。

　発注量の計算式を確認すると、下記のように「在庫日数」が登場しています。

1日当たり平均出荷量×在庫日数＝発注量

　この計算式で算出された発注量がリードタイム後に入荷されて、在庫が増え、そこからまた出荷されていき、在庫が減ったら補充される、というように回転していくわけです。

さて、必要最小限の在庫を持とうとするならば、在庫日数は「1日分」です。1日分の在庫量で物流センターを運営していこうとする場合、発注点が来るたびに1日分の発注を行うことになります。もちろん、このようなやり方も考えられます。在庫量としては最小に抑えられます。

一方で、毎日発注・荷受けを行うのは大変だと考える会社もあるでしょう。「3日に1回程度発注を行うことにしよう」という会社であれば、在庫日数は3日とします。「1週間に1回発注を行う」とするならば、在庫日数は「1週間分」です。

在庫日数と在庫量の関係

在庫を「1日分」持とうとする場合と、「5日分」持とうとする場合の在庫量の差はどの程度になるのでしょうか。

次ページのグラフを見てください。1日分の場合は小さなノコギリ型の動きがずっと続きます。5日分で動かす場合には、需要が安定していたなら、5日ごとに5日分を発注することになりますから、大きなノコギリ型のグラフになります。

これらの在庫量を比較するため、平均在庫量を見てみると5倍の差があります。在庫量「1日分」の場合の平均在庫量は0.5日分、「5日分」の場合の平均在庫量は2.5日分となるからです。

在庫補充の業務の頻度や荷受け作業負荷、平均在庫量などのうち、何を優先するか、いわば「在庫管理への思い」が、在庫日数に反映されると言うことができます。

図 在庫日数の違いと平均在庫量

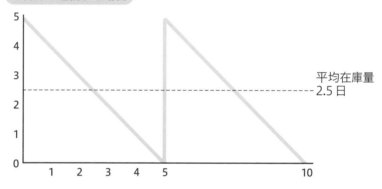

1日分で運営する場合

平均在庫量
0.5日

5日分で運営する場合

平均在庫量
2.5日

週次定期不定量発注法と「1週間分在庫」との違い

　不定期不定量発注法において「１週間分の在庫を持って管理すること」と、週次の定期不定量発注法とは、似て非なるものです。

　毎日出荷される商品ならば、どちらとも、およそ１週間に１回発注することになりますから、同様の動きに見えるかもしれません。しかし、不定期不定量発注法は、発注点が来ていないかを常にチェックすること、発注点が来たらいつでも発注すること、この２点においてまったく違うものだと言えます。

定期不定量発注法では、「月曜日に発注する」と決まっていれば、どんなに需要が変動しても、発注は基本的に月曜日にしか行いません。月曜日以外に発注しようとしたら、取引先の許可を得るなど、面倒な手続きが発生したり、そもそも、取引条件などから「行えない」という場合も多いです。

　一方、不定期不定量発注法の場合には、基本的には1週間に1回発注を行うわけですが、需要が増えてくれば発注点が早く来ます。通常、月曜日に発注を行っていたとしても、発注のタイミングが早まって、前の週の金曜日や木曜日になる可能性もあります。

　逆に需要が減れば発注点が来るのは遅くなります。タイミングがどう変わろうとも、取引先にお伺いを立てるようなことはまったく必要ありません。

データのいらない不定期定量発注法は "商品限定"

2ビン法・3棚法とは

　不定期定量発注法はデータを使わずに在庫管理ができる手法です。簡便な分、欠点もあるのですが、活用できる場合もあるので、ここで紹介しておきます。

　不定期定量発注法には、「2（ツー）ビン法」「3棚法」と呼ばれる手法があります。まずは、2ビン法を例にとって説明しましょう。ビンはbin、「入れ物」を意味します。

　2ビン法とは、2つの同じ入れ物を用意して在庫し、1つが空になれば1つ補充（＝発注）する発注法です。例えば、ネジが100本入っている箱を2つ用意するイメージです。1箱が空になったタイミングで1箱発注しますが、そのタイミングがいつ来るかわからないので「不定期」、発注する量はいつも「1箱」で量が変わらないので「定量」ということです。

　これは出荷状況や在庫状況のデータを収集・分析しなくても "適当な" 発注ができる仕組みです。コンピュータがなくても、ベテランの担当者がいなくても、ほぼ欠品のない在庫管理ができます。

　3棚法もほぼ同様の仕組みで、同じ量の在庫の入った3つの棚を用意して、1つ空いたら1つ補充する仕組みです。

過剰在庫に気づきにくいのがデメリット

　この発注法は「目で見て管理できる」という点は非常に簡便でよいのですが、一方では大きな弱点があります。それは管理レベルが入れ物の大きさに左右されてしまうということです。

　小さな部品が100個入っているケースを2ビン法で管理する場合、1つのケースが空になれば1ケースつまり100個、発注します。

　その商品が1か月に1個しか売れていない商品でも、一気に100個補充されてしまうのです。その販売状況ならば100個は100か月分の在庫に相当します。約8年分です。こんなに長期間、在庫しておきたい人はいないでしょう。

　しかし、この手法をとっている場合、こんなことは日常的に発生し、8年分もの在庫を一気に補充してしまったことに気がつく人すらいません。出荷状況、在庫状況をデータで見ることがないからです。

　では欠品が絶対に起こらないように管理できるかと言えばそうでもありません。1ケースが何日分の出荷量に相当するかを見ている人がいないわけですから、「ある日、突然欠品」という状況が発生する可能性は否定できません。需要が変動するからこそ在庫管理が必要だという立場からすると、ある程度の有効性は認められるものの、在庫管理の手法としては低いレベルのものと言わざるをえません。

　不定期定量発注法を適用できるのは、日々の在庫量をコンピュータに登録するような手間を省きたい商品や、多少過剰在庫になっても構わないような、原価の安い商品に限られると言えるでしょう。

2つの "在庫管理"

在庫量削減には「制約条件」への意識が必要

在庫管理が2種類あるというのは、下記のように区分しているためです。

① 「必要最小限の在庫量」を維持する取り組み
② 「必要最小限の在庫量」を減らす取り組み

ここまで紹介してきた発注法は、①の取り組みに有効です。しかし、①だけでは、それ以上の削減ができません。より一層の在庫削減を検討するには、②の取り組みも欠かせないのです。

そこで発見しなければならないのが、"何によってこれだけの在庫を持たされているのか"。何らかの制約によって在庫を持たされているわけで、それが「制約条件」です。

「制約条件」の発見方法

ここから制約条件を発見する方法を説明します。在庫を持たなければならない場合、必要最小限の在庫量は「1日分」でした。

まず、1日分の在庫で商売ができるか、を考えてみましょう。その過程で「現実的には○○という事情があって無理」という条件があれば、それらを列挙していきます。

例えば仕入れや生産ロットです。メーカーから購入する際に「ケース単位でないと売ってもらえない」などの条件が存在することがあります。1日分としては10個でよい時でも、取引条件でケース単位と決まっている場合は、たとえ50個入りであろうとも、ケース単位で仕入れるしかありません。

このような商品では、どんなに在庫量を絞り込めたとしても、仕入れを行ったその瞬間に「5日分」の在庫を持ってしまうことになります。取引条件が変わらない限り、これがその商品の最小の在庫量です。

もし、この商品の仕入れ先が、月に1回しか納品してくれないとすれば、"最小の在庫量"はさらに大きくなります。1日分の出荷量が平均10個である場合、30日営業しているならば、1か月分としては300個必要です。300個仕入れておかないと商売が成り立ちません。この事例では、納品頻度が制約条件になるということです。

最大の制約条件を潰さないことには効果がない

持たなければならない在庫量を決めている最大の要因が「制約条件」です。在庫量を減らすためには、この「制約条件」を小さくする、またはなくす取り組みが必要になります。

前述の例で言うと、在庫量を1日分まで絞り込めない理由として、2つの要因がありました。

❶取引条件：ケース単位 →　在庫量5日分
❷納品頻度：月に1回　→　在庫量1か月分

　この時、営業担当者が交渉して、「ケース単位」の取引条件を「10個ずつの内箱単位でよい」と条件の変更してもらえたとしたらどうなるでしょう。発注はより細かくできるようになるかもしれませんが、「月に1回」という納品頻度が変わらなければ、必要な在庫量に何の影響も及ぼしません。

　この商品の場合、最大の制約条件は②であり、在庫削減のためには②の条件を緩和する取り組みが必要だということがわかります。

リードタイム短縮が在庫管理に効く

　リードタイムの短縮も在庫削減に効果があります。欠品を防ぐために、リードタイムの長さに応じて出荷のブレを見込んだ安全在庫を用意する必要がありますが、リードタイムが長い場合、その分、遠い未来の需要を予測し、それに対して在庫を用意しなければなりません。当然ながら、予測が当たる確率は下がってしまいます。

　リードタイム短縮のためには、取引先の協力が不可欠です。もちろん容易ではありませんが、機会を捉えて短縮する努力をしておいて損はありません。また、リードタイムの短縮だけでなく、取引条件として決まっているリードタイムがきちんと守られているか、このチェックも重要です。もし守られていないならば、自社の現場では、取引条件以上にリードタイムを確保し、多めに在庫を持って対応している可能性があります。

　リードタイム短縮及びその管理が在庫削減に効くのです。

安全在庫の求め方

リードタイム中の需要の上振れのためだけに必要なもの

　安全在庫は、語感から誤解されやすいのですが「このくらい持っていれば安心だ」という印象で決めるものではありません。

　不定期不定量発注法では、需要が増えてくると発注のタイミングを早めたり発注量を増やしたりすることにより、需要の変動に対応し、欠品が起こらないようにしています。しかしその対応だけでは欠品を避けられない時期があります。それがリードタイム期間です。

　リードタイム期間とは、「在庫を増やしたくても増やせない期間」です。不定期不定量発注法における安全在庫は、リードタイム期間中に欠品を起こさせないために持つものです。リードタイム期間は、在庫を増やしたくても増やせない期間であるため、"保険をかけておく"わけです。

　定期不定量発注法でも安全在庫は必要になりますが、対応する期間の考え方が少し違います。不定期不定量発注法のようにリードタイムに対応して必要なのではなく、発注した在庫で商売をする期間（「補充期間」と呼びます。週次発注ならば1週間、月次発注ならば1か月という期間になります）の出荷の上振れに対して安全在庫を持ちます。

　定期不定量発注法の場合、「在庫を増やしたい」と思い立っても、次の発注まで在庫は増やせません。用意した在庫で必要量を賄（まかな）わねばならないわけです。その期間が「補充期間」になるのです。

　どちらの発注法であっても、過去実績をもとに１日当たり平均出荷量を算出し、リードタイム日数あるいは補充期間日数を乗じて、必要量を計算していますから、過去の平均を上回る出荷が連続すれば欠品してしまうわけです。

　安全在庫は、このような場合に欠品させないために持つものです。

需要は正規分布しているという前提がある

　安全在庫については「公式」と認識されている計算式がありますので紹介します。この公式は、その商品の需要が正規分布していることを前提としています。これにより、過去の出荷実績から次の出荷がどうなるか、統計的に計算できるのです。

　ここから、計算式に登場する項目のそれぞれについて少し詳細な説明をしていますが、実務においては、この公式よりも実績値を利用した計算式のほうが利用しやすいと思いますので、まずは、129ページまで読み飛ばしても構いません。

　平均からの差を「偏差」と言います。日々の出荷が平均からどれだけ外れるかについて、過去の偏差の実績から、上振れの発生確率を統計的に計算していく方法です。

　まず、出荷量が平均からどれくらい外れるかについて、過去の実績から平均値を求めます。このとき、偏差そのものを足し上げるとゼロになってしまって平均値が計算できないので、二乗して平均したうえでルートします。この値が標準偏差です。

正規分布しているデータをグラフに描くと富士山のような形になります。標準偏差が小さい場合には、裾野の狭い縦に細長い富士山になります。標準偏差が大きいと、裾野が広い富士山になります。

安全在庫を求める公式

不定期不定量発注法においては、安全在庫はリードタイム期間中の出荷のばらつきに対応するために必要になるので、計算式は以下のようになります。

● 不定期不定量発注法における安全在庫の計算式
安全在庫＝安全係数×標準偏差×√リードタイム

定期不定量発注法の場合には、補充期間中のすべての出荷のばらつきに対応する必要がありますから、計算式は以下のようになります。

● 定期不定量発注法における安全在庫の計算式
安全在庫＝安全係数×標準偏差×√ 補充期間日数

日数の部分が、不定期不定量発注法ではリードタイムでしたが、定期不定量発注法では補充期間になっています。他の項目は一緒です。

この計算式から、リードタイムあるいは補充期間の長さが安全在庫の量に大きな影響を与えることがわかります。安全在庫と言っても必要最小限の量を目指さねばなりません。リードタイムあるいは補充期間を短くすることは、安全在庫の削減につながります。

安全係数とは

標準偏差（σ＝シグマ）を求めると、日々の出荷が平均からどれだけ外れるか、確率を計算できるようになるのがメリットです。

１σ（シグマ）の範囲内に次の出荷データがある確率は68.2%です。２σの範囲は97.7%。３σならば99.9%です。これはどんな平均、どんな偏差を取る場合でも成り立つ値です。

欠品を防ぐためには出荷量の下振れは気にする必要がないので、左半分は無視しても問題ありません。下のグラフには先ほどの数値の半分の値が示されています。

図 標準偏差のルール

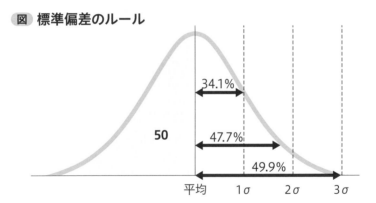

安全係数とは、この確率を逆算して「外れる確率を〇%以下にするには、何σ分にすればよいか」を求めたものです。

サービス率とは

「サービス率」とは、顧客からの注文に対し、欠品がなく対応できる比率のことです。「欠品率」という言葉のほうがなじみ深いかもしれません。サービス率とは、欠品率の裏返しの数値です。サービス

率が95%なら欠品率は5%です。どちらかを設定すれば安全係数も決まります。

　下にいくつかサービス率と安全係数を挙げておきます。

図　サービス率と安全係数

欠品率	5%	1%	0.1%	0.01%
サービス率	95%	99%	99.9%	99.99%
安全係数	1.64	2.33	3.08	3.62

　ちなみに「欠品率5%」と言っても100回に5回欠品するわけではありません。「ある商品の1日の出荷量合計が予定量を超えてしまう日が100日のうち5日ある」という意味で、95日間は100%の注文に対応でき、欠品の出る5日間でも、商品がある間の注文には正常に出荷できるので、実際に対応できない注文の件数はごくわずかということです。

　サービス率を高くすれば安全在庫は増え、在庫量の増大につながります。多少欠品しても許容されるようなアイテムは、サービス率を低くしておくことで在庫量を抑えられます。

　例えばサービス率95%に設定した場合と99.99%に設定した場合とでは、安全在庫の量には2倍以上の差が出ます。

標準偏差とは

　標準偏差というのは、あるデータのかたまりについて「平均値からのばらつき具合」を表すものです。

　標準偏差が大きい場合、その商品の出荷状況がばらついていることを表します。標準偏差が小さい場合は、その商品の出荷傾向がほ

ぼ平均値に近いことを示しています。

　標準偏差の計算を電卓などで行うのは面倒なので、Excelなどの計算ソフトを使いましょう。ExcelならばSTDEV、STDEVPといった関数を使えば簡単に算出できます。

　平均出荷量（平均値）が同じ商品であっても、標準偏差が同じとは限りません。下図では2つの商品の平均値は同じですが、商品Aの標準偏差は2.89と小さく、商品Bの標準偏差は18.26と6倍以上になっています。

図　商品A、商品Bの標準偏差の比較

	12月23日	12月24日	12月25日	12月26日	12月27日	平均値	標準偏差
商品A	50	45	50	50	55	50	2.89
商品B	80	40	20	50	60	50	18.26

　標準偏差を求めるにあたって、データをどの範囲とするかについては、商品の出荷傾向を見定めるために適切と思われるという理由から、平均出荷量を算定する期間に合わせるのがよいでしょう。

　1年以上にわたり販売する商品であれば、1日当たり平均出荷量は1年以上の値を継続して求めるべきと前述しました。標準偏差についても、同じ期間に設定するのが適当と思われます。

安全在庫を計算する

　上記の商品A、Bについて安全在庫を計算してみましょう。

　サービス率は95％と99.99％と仮定し、不定期不定量発注法、定期不定量発注法の両方について計算してみましょう。

安全在庫＝安全係数×標準偏差×√リードタイム（or補充期間）

図 安全在庫算出に関する諸条件

	サービス率	標準偏差	発注法	対応期間
商品A	① 95% ② 99.99%	2.89	不定期 不定量	4日 (リードタイム)
商品B	③ 95% ④ 99.99%	18.26	定期 不定量	5日 (補充期間)

　1つ、例として一緒に計算してみましょう。商品Aを不定期不定量発注法で管理し、サービス率95％の場合の計算式及び安全在庫量は以下のようになります。

$$1.64 \times 2.89 \times \sqrt{4} = 9.5個（安全在庫）$$

　それでは、以下、計算してみてください。

図 それぞれの安全在庫を算出してみよう

	サービス率	安全係数	標準偏差	√日数	安全在庫
商品A）①	95%	1.64	2.89	√4	
商品A）②	99.99%	3.62	2.89	√4	
商品B）③	95%	1.64	18.26	√5	
商品B）④	99.99%	3.62	18.26	√5	

回答：上から①9.5、②20.9、③67.1、④148.1

なぜ日数をルート倍するのか

　日数について見てみましょう。「安全係数×標準偏差」の計算によって、1日分の安全在庫量が算出できます。リードタイム期間中

の安全在庫を求めるには、リードタイムが４日なら４倍でしょうか？　公式を見ると、日数のところにはルートがついています。これはなぜでしょうか。

　リードタイムが４日だから４倍という考え方は間違いです。そもそも在庫量は平均値で用意されているわけですから、それを上回る値と下回る値はそれぞれ50%の確率で登場するといえます。つまり、４日間すべて平均値を上回る設定をする必要はないということです。日数をまるまる乗じる必要はなさそうだと言えます。

　統計学では、出荷２日分でみるなら、偏差σが２倍になるのではなく、二乗した値である分散が２倍になるという法則があります。４日なら４倍です。これを「分散の加法性」といいます。

　この性質を使えば、リードタイム日数分の分散を求めてこれをルートすることで「リードタイム日数分の偏差合計」の推定が可能になります。これを根拠として安全在庫の公式となっています。

実績値を利用した計算方法もある

　安全在庫の設定にあたり、公式には標準偏差が入っているために管理しにくいと言われることがあります。

　例えば商品Aで、その後の出荷状況が大きく減った場合はどうなるでしょうか。

図　商品Aの出荷量及び標準偏差

	12月23日	12月24日	12月25日	12月26日	12月27日	12月28日	標準偏差
商品A	50	45	50	50	55	5	17.02

　大きく出荷量が減った場合、標準偏差は2.89から17.02へ跳ね上

がってしまいます。出荷量が減ったにもかかわらず、公式にあては
めて計算すると、必要な安全在庫量はほぼ6倍に跳ね上がることに
なります。

　このような動きは現実的に使いにくいという考えから、標準偏差
を利用しない計算法（以下、「実績値適用法」と呼びます）を採用し
ている企業もあります。実績値適用法では、以下の計算式を利用し
ます。

● 不定期不定量発注法の場合

過去の連続したリードタイム期間の最大出荷量－同期間の平均出荷量

　リードタイム日数が3日であったとしたら、過去1年間を振り返
り、連続した3日間での最大値を計算します。1日だけ出荷が多い
日があったとしても、その前後が平均よりも少なければ、在庫量へ
の影響は少なくなりますから、リードタイム期間をひとまとまりと
捉え、これに対応するようにします。

● 定期不定量発注法の場合

過去の連続した補充期間の最大出荷量－同期間の平均出荷量

　補充期間中の需要の上振れに対応することになりますから、週次
であれば連続した1週間、月次であれば連続した1か月というまと
まりで最大値を計算し、これと平均との差を安全在庫とします。

　いずれの発注法を採用している場合にも、大口出荷の切り分け

ルール（「平均値の３倍以上の出荷量は１日当たり平均出荷量の算出に使用しない」等）があれば、それに則って出荷量を調整したうえでの最大値をとります。

　ここで算出される安全在庫は「個数」となり、アイテムごとに安全在庫の個数をみても感覚的に理解しづらいので、それぞれ１日当たり平均出荷量で日数換算し、共有するようにします。

　アイテムごとに「〇日分の安全在庫」という情報になっていれば、在庫管理担当者の感覚としても、「通常在庫が〇日分、安全在庫が〇日分」というように理解しやすくなると思われます。

リードタイム期間中に見込まれる出荷回数を過去データから推計する

　リードタイムが長い、例えば６か月もあるという場合、計算式どおりの計算をすれば√付きとは言え、大きな安全在庫を持たなければならないことになります。

　頻繁に出荷があり、なるべく欠品させたくない商品であれば、それだけ持つという判断もあるでしょう。

　しかし、「もう少し減らせないか」と考えられるのも当然です。その場合、過去の実績から、リードタイム期間中に何日間、どれくらいの注文があったかを分析してみるとよいでしょう。

　過去１～３年のデータを分析し、リードタイム期間中の最大の出荷日数、出荷量に応じられるだけの安全在庫に絞り込むのが、現実的にも納得のいく落としどころになると思われます。

第 4 章

ムダをなくし利益を
生み出す
在庫管理改善への
ステップ

まず実態把握

在庫の最も一般的な指標

在庫状態を改善するために、まず行うべきは実態把握です。在庫状況をチェックする最も一般的な指標は在庫回転率、在庫回転月数です。

これらの指標は自社の全体的な状況を把握するだけでなく、倉庫別、カテゴリー別、商品別といった把握も可能です。有価証券報告書にあるデータを活用すれば、他社の状況も計算できます。

ただ、これらの指標は、その瞬間の状況を把握するだけではあまり意味がありません。在庫の状況が改善されているかどうか、よい状態に保たれているかどうかを確認するために活用すべきものです。継続して把握し、必要ならば改善の手を打っていきます。

図 在庫管理にかかわる指標

▼在庫の指標	▼意味／計算方法
在庫回転率	一定期間内に在庫がどの程度回転するか 在庫回転率＝出庫数÷在庫数 大きいほうがよい。
在庫回転月数／日数	今持っている在庫は何か月分（何日分）になるか 在庫回転月数＝12÷年間在庫回転率 在庫回転月数＝在庫数÷月間出庫数 在庫回転日数＝在庫数÷1日当たり出庫数

在庫の「回転」とは

　在庫管理になじみのない方は、在庫が「回転」とは？　と思うかもしれませんが、在庫管理の世界ではとても大切なチェックポイントです。

　身近なものから「在庫の回転」をイメージしてもらうために、家庭の「冷蔵庫」で説明していきたいと思います。

　冷蔵庫における「在庫の回転」というのは、冷蔵庫の中身が、リズムよく「出たり入ったり」して、「冷蔵庫の中に滞らずに動いている」ことを表しています。在庫は保管されているものではありますが、「滞っている」のは望ましくないのです。

　冷蔵庫も、きちんと活用されていれば、中身はどんどん入れ替わっていきますよね。

　在庫がどれくらい回転しているかを知るためには、まず冷蔵庫に在庫が「どれだけあるのか」、そして、その在庫が「どれだけ使われているか」を知る必要があります。

　「ビール」や「牛乳」など、冷蔵庫に常にキープされているものはありますか？　それを例に、この1か月ほどで平均的に冷蔵庫に入っていた数を想定し、在庫量として次ページの図表に書き込んでください。第1章で登場した倉之助くんはビール好きなので、ビールの数値を把握することにします。日々の在庫量は平均4本でした。

　350ml、500mlなどと複数のサイズが混ざっていると計算が面倒になるので、ここではどちらかに容量を統一して考えてください。

図 ビールで在庫の回転を考えてみる①

	倉之助くんの家	あなたの家
ビールの平均在庫量	4本	
一カ月で飲んだビールの本数	40本	
回転数		

　ここで、もう1つ必要な数字があります。「1か月の消費量」です。「今日までの1か月の数字」をざっと計算して、その数字も下の表に書き込んでください。ちなみに倉之助くんの家では40本でした。

　この2つの数字があれば、簡単な計算で、在庫がどの程度「回転」しているかわかります。「1か月の消費量」を「在庫量」で割るだけです。

　倉之助君の家の場合では、

40本 ÷ 4本 ＝ 10回転

という計算になって、「ビールは月に10回転している」ことになります。

図 ビールで在庫の回転を考えてみる②

	倉之助くんの家	あなたの家
ビールの平均在庫量	4本	
一カ月で飲んだビールの本数	40本	
回転数	10回転	

　在庫の回転数は、一般に大きいほどよいとされます。つまり「在庫はたくさん回転しているほうがよい」ということです。

「回転」は商品の鮮度に直結する

　例えば、倉之助くんの家でビールを飲む量が増えて、1か月に50本飲むようになったとします。その時のビールの在庫量が今と同じだったとすると、在庫回転の計算式は、次のようになります。

50本÷4本＝12.5回転

　ビールは「月に12.5回転」していることになります。先ほどは「10回転」でしたから、2.5回転も増えています。

　反対に、ビールの消費量が減った時はどうでしょうか。1か月に4本しか飲まなくなったのに、冷蔵庫には平均4本があったとすると、計算式は次のようになります。

4本÷4本＝1回転

　ビールは「月に1回転」しかしていないことになります。これは在庫の消費に平均的に1か月かかることを意味しており、調達の仕方にもよりますが、ほぼ1か月前のビールを飲んでいることになります。

　ビールは新鮮なものを飲みたいでしょうから、これは望ましい状態とは言えません。目指すべきは、在庫がどんどん出庫されていく「回転のいい」状態であり、そのような在庫であれば鮮度もいいのです。

在庫を減らせば回転がよくなる

　消費量が大きくなると回転がいい状況になることをおわかりいただけたと思いますが、消費量が変わらなくても回転をよくすることは可能です。在庫量を減らせばよいのです。

試しに計算してみましょう。ビールの消費量は同じ40本です。冷蔵庫のビールが2本だった時ではどうでしょうか。逆に、ぐっと増えて8本だった時ではどうなるでしょうか？

消費量40本÷在庫量2本＝20回転

消費量40本÷在庫量8本＝5回転

2本なら20回転、8本なら5回転です。消費量が同じ場合でも、冷蔵庫のビールの在庫量が少なくなれば「回転」は増し、ビールの在庫が多くなれば「回転」は少なくなることがわかります。

このように「回転」は消費量や在庫量によって変化するわけですが、このことで、どんな変化が起きるのかを想像してみてください。

なぜ、在庫回転は多いほうがよいのでしょうか。逆に、回転が少なくなると、どんな悪いことが起きるのでしょうか。

次に、回転が多い、少ないによって変化することを並べてみました。関連すると思うもの同士を線でつないでみてください。

図 回転と在庫の関係

回転が少なくなると		● 在庫量が多くなる
		● お金が一度にたくさんいる
		● 場所をとる
回転が多くなると		● 鮮度が失われる
		● 売れなくなるおそれがある

右側の5つの項目はすべて「回転が少なくなると」と結ばれます。どうしてそうなるのか、先ほどの例で詳しく説明しましょう。

　1か月のビールの消費量が40本で、ビールの在庫量が2本であった時は、20回転でした。在庫量が8本の時は、5回転です。

　さて、この時の違いを見てみましょう。

　1か月を30日として計算すると、毎日平均して40本÷30日＝1.3本飲んでいることになります。

　日々のビールの在庫量がいつも2本であったとすれば、毎日1〜2本のビールが補充され、1〜2本のビールが消費されていることになります。このことから次のことがわかります。

❶在庫量は補充した時点でも最大で4本程度と少なく

❷1〜2本ずつ購入するので、一度に必要なお金も少なく

❸在庫量が少ないので場所も取らず

❹いつも新鮮で

❺たとえ飽きてもムダになるのはその時点で冷蔵庫に入っている量（最大でも4本）だけ

「いつも新鮮」という点だけでも、ビールを飲む人からすれば「回転がよい」ことのよさがわかります。

　少し気になるのは、「毎日のように補充」が必要になることです。これは買い物をする人の苦労につながります。買い物に行く手間やコストは考慮する必要があります。

在庫回転が悪いことによるデメリット

　では、ビールの在庫量が8本だった時の在庫の動きを考えてみましょう。ビールは1本ずつのバラ売りの他、6本入りのパックなどで売られています。平均的に8本の在庫量を持っている家庭ならば、

バラ売りでなく「6本パック」を購入することが多いでしょう。

　もし、冷蔵庫にビールの在庫量が8本あるときに6本パックを買ってくると、冷蔵庫の在庫量は14本に増えてしまい、それなりの場所を取ることになってしまいます。

　倉之助くんの家では平均して日に1～2本しか減らないわけですから、14本だと在庫が減るまでには1週間以上かかります。鮮度面でも「回転のよい状態」と比べると劣ります。

　また、消費されなくなるおそれがあります。「急に涼しくなってビールを飲む気がしなくなった」「商品に飽きた」ということが起こらないとも限りません。

　そんな時に古いビールの在庫がたくさんあると、消費しきれずに長く残ってしまう可能性があります。それは在庫管理の世界では、「不良在庫」とか「不動在庫」と呼ばれる、危険な在庫です。

　在庫の回転がよければ、このような危険な在庫を持ってしまう可能性が低くなります。何か変化があったときに、対応が容易なのです。

　会社では、このような商品の調達がもっと大規模に行われているので、在庫の回転がよいか悪いかは、会社の経営状況や倉庫の保管状況に大きな影響を与えるわけです。

在庫散布図で実態把握

在庫状況を一目瞭然にする

　簡単な計算でグラフを作成して、在庫管理の状況を一目瞭然にする方法があります。必要な数字をとるのは難しいことではないので、ぜひ自社のデータを使って作図してみてください。

　在庫されているアイテムごとに計算するのですが、全社在庫でもいいですし、カテゴリー別など部分的でも構いません。

　データは、商品ごとに色・サイズなどがあるならば、別々に把握します。アイテム別、SKU別といった呼び方がありますが、商品を最も細かく区分した呼び方として、ここでは「アイテム」という言葉を使います。必要なデータは次のとおりです。まず、倉庫1か所ずつを対象に行うのがわかりやすいと思います。

❶ アイテム別月間出荷日数
　在庫されているアイテム別に、月間の出荷日数を数えます。

❷ アイテム別月間出荷量
　　　　　②／①＝1日当たり平均出荷量（Aとする）

　出荷のあったアイテム別に月間出荷量の合計を出します。この値

を①の月間出荷日数で割ると、「１日当たり平均出荷量（A）」が求められます。

❸ アイテム別平均在庫量

アイテム別に平均在庫量を調べて、先ほどのAで割ります。これが「出荷対応日数」です。平均在庫量を出すのが大変であれば、月末在庫量でも問題ありません。

これらの数字をもとに、出荷対応日数を縦軸に、①の出荷日数を横軸にとってグラフを作成します。

次ページの図表は、上記のようにデータをとって作成した、ある食品メーカーの実態で、複数ある物流センターのうちの１か所です。

図表の読み方は以下のとおりです。

- １つの点は、１つの商品を表す
- 横軸は出荷日数。グラフの右側にあるほど頻繁に出荷されている
- 縦軸は出荷対応日数。グラフの上部にあるほど出荷状況と比較して在庫量が多い

さて、この物流センターの在庫管理はどんな状況だと思われますか？

図 ある物流センターの在庫散布図

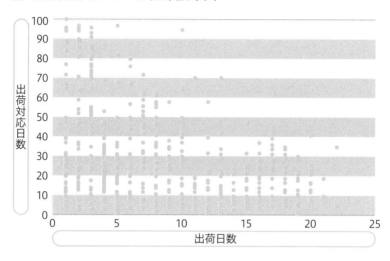

在庫管理不在が見える

　まず言えることは、この物流センターの在庫管理はうまくいっていないということです。点が散らばっていることから、そう言えます。うまくいっている場合、点は目標としている水準に集中して"帯"が描かれます。この在庫散布図から読み取れる問題点は下記のとおりです。

- 顧客出荷のために設置されている物流センターなのに、月に１〜２日しか出荷されない商品が多い（毎日のように出荷される商品が少ない）
- 出荷対応日数が大きく、かつ出荷日数が少ないものが多い（賞味期限があるので、いずれ廃棄することになりそう）
- このグラフの中で最も悪い状況にある商品は、グラフの左端、一

番上の点。これは「出荷対応日数100日、出荷日数1日」。つまり、月間で1日しか出荷されなかったのに、100日分の在庫がある。現状の売れ方が続けば、今後100か月は持つことになる。

また、この在庫散布図に表せなかった問題点もありました。

在庫されているにもかかわらず、1か月の間、1個も出荷されなかった商品が全体の4割もあったのです。

アイテムごとに見るから問題点が見える

この物流センターの在庫量は、全体で計算すると「約1か月分」でした。ところが、在庫散布図を見ればわかるように、1つ1つの商品を見ると問題が山積みだと言えます。在庫全体を合計して「平均で○日分程度だから大丈夫」といった判断は危険です。平均値は、1つ1つの過剰在庫・欠品を相殺して問題点を覆い隠してしまいます。

この物流センターの状況を改善するために何ができるでしょうか。まず在庫管理的な視点から、過剰在庫には手を打ちたいところです。

グラフの上部、とくに左上にある商品は出荷日数が少なく、在庫が過多になっている状況です。放置しておくと滞留してしまう可能性が高いので、漏れのないように1アイテムずつチェックして、然^{しか}るべき措置を取ります。ゆっくりでも売れているならば、完全に出荷が止まる前に値下げなどにより売り切る努力をします。

反対に、グラフの下部、出荷対応日数がゼロから数日しかないものは欠品していないかのチェックも必要です。欠品しているものがあれば在庫量を増やす必要があります。

在庫の "整理整頓" も大事

　在庫管理上の問題は、作業の効率にも影響を及ぼすことがあります。物流センターは顧客出荷のための場所ですから、作業効率を最優先にしたいものです。

　作業効率を上げるためには、「余分なものを置かない」ことが重要です。つまり、現場の "整理整頓" です。

　まず、グラフには表れていない、1か月に1個も出荷されなかったものは工場倉庫へ引き揚げましょう。中には、工場倉庫に戻さず廃棄すべきものもあるかもしれません。

　グラフの左側にある出荷日数の少ない商品についても、物流センターに常時配置する必要はないという判断もできるでしょう。工場倉庫に引き揚げ、注文があったら直送する体制を検討します。

物流センターに在庫を置くべき基準を作る

　どんな商品を物流センターに在庫するのかについて、ある程度は自動的なルールも必要です。「例えば、出荷日数が月間で5日を下回ったら物流センターに置くのはやめる」といった決め方が考えられます。

　仮にこの基準を実行すると、先ほどのグラフは大きく変化します。

　こうなると、物流センターには出荷のないアイテムは在庫されていないので、不良在庫が物流センターの棚を占拠しているといったことがなくなります。

　また、在庫アイテムを減らすことで保管効率を上げられるので、出荷作業の際、ムダに歩き回る時間も減らせます。

図 新ルール適用後の在庫散布図

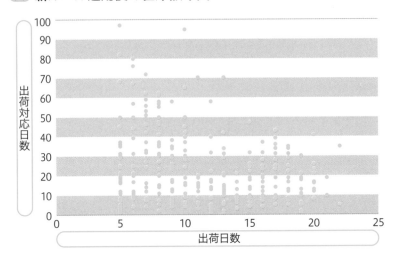

　在庫アイテムを絞り込んだら、それらがうまく回転するように取り組みましょう。先ほどのグラフでは、出荷日数が多い右側にあるアイテムでも、出荷対応日数が多くなっている商品がありました。

　在庫散布図の右上のほうに散らばっている商品は、少し危険な状態です。出荷ペースが落ちてきたら過剰在庫になってしまうかもしれないからです。

在庫量を日数で設定する

　そこで、もう1つの基準を設定します。例えば「この物流センターには10日分の在庫を置く」といった基準です。

　これにより、物流センターはさらに在庫が絞り込まれた状態になり、グラフは次ページのように変わります。

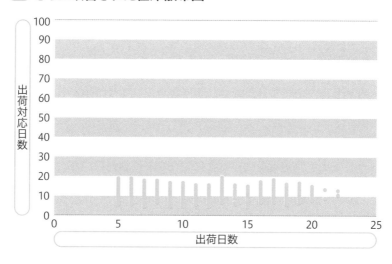

図 さらに改善された在庫散布図

必要な在庫アイテムのみに絞り込まれ、在庫がよく回転する、極めて新陳代謝のよい物流センターとなります。

倉庫間・カテゴリー間で差はあるか

在庫散布図は、色々な使い方ができます。物流センターを複数持つ企業であれば、物流センターごとに作成して比較してみるのも有効です。

どれも点が散らばった状態であれば、それらのセンターは在庫管理不在であり、まずは管理を始めましょうという話になります。どこか明らかに管理状態がよいところがあれば、それをベンチマークとして、会社としての在庫管理ルールを作る手本にできるかもしれません。

どうやって「よいかどうか」を見極めるかですが、どこかに点が集中する "帯" があれば、明確に管理目標を定め、実行している証

147

拠と言えます。改善点が見つかったら、それぞれの在庫管理担当者にヒアリングし、管理方法の差を見つけましょう。

在庫管理にかかわる仕組みがあるか、正しく機能しているか

　在庫管理をうまく行うには、まず管理ルールを構築すること、そして管理ルールを実現できる仕組みを持っていることが必要です。

　管理ルールとは、具体的に言えば第3章で説明した計算式のことです。また、物流センターごとに、在庫を何日分持つか、安全在庫を何日分持つか、について決めているかどうか。リードタイムは確認されているか、守られているかなども重要です。

　過去データから読み取れない事態が発生した時にはどうするか。新製品投入の際は、過去データがないので、需要を正しく予測するのは非常に難しい問題となります。ただし、そのような時にも、"新製品の類似品"があれば、多少は参考になります。このような検討の流れを決めておきましょう。

　欠品・過剰在庫の状況を把握する仕組みも必要です。まず「欠品」「過剰在庫」について自社での定義が行われていることが重要です。一般的には「欠品」は「顧客から注文があったにもかかわらず在庫がなかったために出荷できなかった日数（または個数）」とされます。

「過剰在庫」については、どのラインをもって過剰と設定するか、会社ごと、商品カテゴリーごとに、大きく差がつくと思われますが、重要なのは水準が定まっているかどうかです。

在庫量にかかわる部署はどこか

　在庫管理にかかわるルールが決まっていたとしても、正しく在庫量をコントロールできる部署がその役割を担っていないと、有効な管理ができません。

　在庫量をコントロールできる部署とは、「その部署の行動により在庫を生み出す部署」であると言えます。

　在庫を生み出す部署は、例えば仕入れや生産を担当する部門です。また、顧客と納品にかかわる条件を決める部門も該当します。販売計画に沿って生産量を決めるとすれば、販売計画を決定する部門も該当します。

　仕入れ部門、調達部門、生産部門、営業部門などが在庫を生み出す部署として該当します。

在庫にかかわる問題はお蔵入り？

　このような部署が、自らの行動が在庫を生み出していることを認識し、在庫の量を常に把握し、責任を持つ体制になっていないと、在庫無責任体制ができあがってしまいます。

　一般に仕入れ単価や生産単価は評価の対象にもなりますが、一括大量仕入れや大量生産により生まれた在庫が、後々、大量に余っていたとしても、その在庫について責任を追及し再発を防止すべく対策をとっている会社は多くありません。

　在庫になって問題が顕在化するのは少し後になるため、責任を追及するタイミングを逃すのだろうと思われますが、それならば、「在庫を生み出す行動の時点」で、常にベストな行動ができるようルールを徹底しておくことが重要だと思われます。

在庫に影響を与える
4つの波動と対応方法

4つの波動とは

　波動とは、出荷量のブレのことです。このブレがなければ在庫管理は簡単なのですが、出荷量は在庫管理担当者の思うようにならないので、何とか対応しなければなりません。

　出荷量のブレのタイプは以下の4つに分けられます。

❶ 通常波動
❷ 季節波動
❸ 販促波動
❹ 人為波動

計算式で対応できる波動は

　①通常波動は名前のとおり、通常時の出荷量のブレのことです。出荷量は一定ではなく、常に変動しています。これには第3章で紹介した計算式で対応できます。

　不定期不定量発注法で運用していて、出荷量が大きくなった場合、発注のタイミングが早まったり、発注量を増やしたりするように計算されます。これにより欠品を防ぎます。これでも足りない場合に備え、安全在庫も持っています。

　定期不定量発注法の場合には、リードタイムを早めることはでき

ませんが、過去実績に基づいて安全在庫を持つことにより、出荷量が大きくなるブレに備えています。

　出荷量が小さくなるほうの波動はとくに対応する必要はありません。計算式では発注のタイミングを遅らせたり、発注量を減らしたりすることで在庫が過剰に増えることを抑えます。

季節波動は過去実績から推計できる

　②季節波動も計算式で対応できる波動です。同じ商品特性を持つ商品であればおそらく似たような傾向になると推定されるので、それら商品群をグループとして「季節指数」を把握します。個々の商品ごとで見ると、かえって傾向が読みにくい可能性があるので、同一カテゴリーなどのように、いくつかの商品群で見るようにします。

　新製品であっても、同じタイプの商品があれば、それをもとに傾向を推定し、参考にしてみるのがよいと思われます。結果として正解ではなかったとしても、他によい参考値はなかったわけですから、その時点では最良の行動をとったと言うことができます。

季節指数を使って発注量を計算する

　定期不定量発注法の場合、１日当たり平均出荷量に季節指数を乗じて、発注量計算を行います。例えば、暑い夏の間、需要が平均の２割程度伸びる商品があれば、下記のような運用が考えられます。

図　夏に需要が伸びる商品の運用法

	1月	2月	3月	4月	5月	6月	7月	8月	9月	10月	11月	12月
季節指数					1.1	1.1	1.2	1.2	1.1	1.1		
1日当たり平均出荷量	100	100	100	100	110	110	120	120	110	110	100	100

発注量計算に利用する1日当たり平均出荷量に季節指数を乗じることで、発注量を増やすことができます。5月、6月の季節指数を「1.1」としているのは、気温に連動する場合、この頃から需要が増えるかもしれない事態に備えるためと、急に1日当たり平均出荷量を増やすと、計算式が過剰に反応して一時的に大きな発注を行ってしまうので、それを防ぐためです。

波動を作り出す営業部門から情報をとる

③販促波動は、セールやCMなど、販促活動により生まれる出荷量のブレを指します。販促活動は、未来の需要を作り出すものなので、過去実績から需要量を計算する計算式では対応できません。

販促波動に対応するには、人が需要量を推計し、発注量を算出しなければなりません。このため、販促活動を行う営業部門などとの情報交換が必須となります。

販促活動を行う時期や期間、地域的な範囲を営業部門から事前に共有してもらい、必要となる在庫量を推計します。この推計には、販促活動を行う営業部門がどの程度の販売拡大を見込んでいるかが基礎データとなります。

過去の販促活動の成果をデータに変える

販売計画は、社内の圧力などにより、実際の見込みを上回る"強気"で立てられることも多いでしょう。販売計画をどの程度信じて行動するのが正しいかどうかは、これまでの実績から見当がつくはずです。

　セールの後、過剰在庫になることが多いようであれば、販売計画のみで在庫を用意することは改め、過去データも活用して必要な在庫量を検討しましょう。

　過去の同じような販促活動でどれだけ需要が伸びたか、どれくらいの在庫を必要としたか。このような過去実績は活かせるはずです。もちろん、どれくらい在庫が余ってしまったか、という反省材料となるデータも活用します。

　割引率によっても、販売の伸びは変わるでしょう。販促活動を企画した担当者名などまで記録している企業もあります。「〇〇さんの販売予測はいつも強気」といった情報も役立つ可能性があります。もし、このような記録をとっていく中で、「△△さんの販売予測はけっこう当たる」といった事実が見つかればラッキーです。

　なぜ当たるのか、どんな情報を見てその予測を導き出しているのか、詳細をヒアリングし、今後に役立つ計算式や原則が発見できないか、などについて検討していきます。

販促活動のための在庫は「別」に用意する

　販促活動による需要の伸びは、過去実績からは読めないものです。定期不定量発注法、不定期不定量発注法などによる発注法で用意される在庫は、「通常の販売用」です。販促活動のための在庫は、人が、通常の販売用とは別に用意すべきであると言えます。

　もし、販促活動がうまくいかず、在庫が残ってしまった場合には、その要因を分析し、次に活かすようにします。販促活動の見込み違

いにより過剰在庫が発生したという場合、通常在庫の評価とは別の判断がなされるべきです。

　つまり、「通常在庫」の在庫状況の評価は発注ルールの問題となりますが、販促活動がうまくいかなかったことによる在庫状況の悪化は、その原因は発注ルールではなく販促活動、つまり、営業部門にあると考えるべきということです。

望ましくない人為波動

　④人為波動とは、人為的な要因による需要のブレのことを言います。つまり、実際の需要とは無関係のブレです。また、望ましいものではないので、なるべく排除したいものです。具体的には、月末や月初の出荷増、期末の出荷増などです。

　実際にその時期に最終ユーザーが利用していて、そのために供給しなければならないのであればよいのですが、実際にはそうでないことも多いようなのです。

　あるメーカーでは、月末や期末に歯磨き粉の出荷が増えるそうです。でも、最終ユーザーである一般の生活者は、月末に歯磨きの回数を増やしたりしませんよね。

　つまり、月末に出荷が増えているのは、卸またはメーカーの営業活動の結果なのです。今月の営業成績をもう少し確保したいという理由により行われるもので、「定番商品をタイミングを早めて買ってもらう」「まとめ買いにインセンティブをつける」といったことが行われます。

　最悪なのは「月（期）を超えたら返品してもいいですから、今は買ってください」という売り込みです。出荷が行われたら在庫が減

るので、この会社では在庫補充の発注をするはずです。なのに、月や期をまたいだ途端に返品されてきたりしたら……。あっという間に過剰在庫になってしまいます。

人為波動を防ぐには人為的な対応をする

　ここで解説した人為波動は、人為的な対応で防ぐことが可能です。営業活動を売り上げだけで評価しないようにすればよいのです。

　人の行動は、評価指標によって変えることができます。評価基準が売り上げならば、人は売り上げを上げる努力をしますが、もし、「返品率で評価する」と言われれば、返品率の評価を上げるよう、努力するようになるでしょう。

　ですから、もし、あなたの会社でも人為波動が起こるような行動がとられていたら、その行動をやめたくなるような評価制度にすればよいのです。

　例えば、ある会社では、一律に売り上げのみで評価することをやめ、返品率も評価の対象に入れることにしました。別のメーカーでは、納品先である卸での販売状況も評価の対象にすることにしました。こうすれば、卸で売る気もないような商品が発注され、出荷されるようなことはなくなります。

在庫の仕分け

まず「持つべき在庫かどうか」で仕分けする

　ここまで在庫改善で知っておくべき内容について説明してきました。在庫の仕分けは、在庫状態を改善するための行動の第一歩と言えるかもしれません。

　きちんとした在庫管理が行われている会社であれば、在庫の仕分けは不要です。と言うよりも、すでに仕分けは完了しているはずです。適正な在庫管理が行われていれば、必然的にそうなるからです。

　在庫の仕分けは在庫管理の基本的な行動の1つだと言えます。

　仕分けの目的は、在庫管理の対象となるアイテムを必要最小限に絞り込むことです。

　まず、「この商品はどうしても在庫する必要があるのか」「在庫なしで済ませることはできないか」を1品ずつ問い直して、必然性のない商品の在庫は持たないことにするための検討を行います。

在庫を持たなくてよい商品とは

　在庫を持たなくてもよい状況には、2パターンあります。

　1つは「受注生産」、あるいは注文を受けてから仕入れて納品する「受注発注」の商品として登録されている場合。もう1つは、在庫品として管理されているものの、出荷が少なくなっていて「受注

生産」品への切り替えが検討される場合です。

　いずれのケースも、顧客に約束する納期の設定がカギを握ります。つまり、納品が「注文を受けてから用意する」タイミングで間に合うならば在庫を持たずに済みます。間に合わなければ在庫を持たざるを得ません。

　出荷が減少して受注生産品への切り替えを検討する場合、顧客への納期の変更が必要になるでしょう。在庫を持ち続けることのコスト及びリスクと、納期が延びることで失う可能性のある売り上げ及びリスクを比較したうえでの、経営的な判断が必要になります。

　ところで、受注生産品であっても在庫を持っている場合がじつはよくあるのですが、その理由は、この納期の問題に起因しています。「注文を受けてから用意するのでは間に合わない。お客様に迷惑をかけてはいけないので在庫を持っておく」というわけです。

在庫仕分けの基準

　在庫仕分けの基準はシンプルです。出荷の少ない商品は在庫を持たないということです。出荷量が少ない商品及び出荷頻度の低い商品はいずれも検討対象です。

　1か月当たり出荷量と1か月の出荷回数から、在庫を持つべきかどうかを検討します。例えば「1か月の平均出荷量が5ケース未満、または出荷回数が月に1回未満の商品は在庫を持たないことを検討する」というように、会社としての基準を数字で決めておきます。

在庫仕分けをうまく行っていくには、基準に合致した商品を洗い出して、在庫対象から外すかどうかのチェックを定期的に行うことが必要です。出荷量や出荷頻度は変動しますから、業種にもよりますが、半年もすれば在庫対象商品は大きく入れ替わる可能性があります。きれいに整理整頓された物流センターでも、この在庫仕分けを定期的かつ継続的に行う仕組みを持っていないところが意外に多いのです。

　そのようなセンターに共通するのは、在庫アイテムが非常に多くなっていることです。月に１回も出荷がなかった商品が、全在庫商品の２〜３割を占めていることもあります。

　整理整頓は見た目だけでなく、出荷状況と対比してみることも必要です。

在庫仕分けの先は3つの道

　仕分け対象としてリストアップされた商品の対処は、以下の３通りになります。

① そのまま在庫品として様子を見る
② 受注生産品（受注仕入れ品、取り寄せ品）とし、在庫を持たず、注文を受けてから生産（仕入れ）する商品とする
③ 生産中止（取り扱い中止）とし、現在ある在庫を売り切った後は注文を受けない

　リストアップされた商品は、①から②、そして③へと移行させていくのが妥当です。初回のリストアップでは①、２回目で②、３回目で③にする、というように原則のルールを定めておくのです。

　在庫仕分けは在庫管理において必要な業務ですが、販売活動に支障が出ないような配慮はもちろん必要です。受注生産に切り替えるならば、既存顧客に対し、納期が長くなること、在庫商品と同じ条件では納品できないことを了解してもらわなければなりません。

　このとき、既存の別商品に似たようなものがある場合は、そちらへ誘導できれば双方にとって最高の解を得られたことになるでしょう。

数字をベースにしないと仕分けは不可能

　商品の取り扱いルールの変更は、数字に基づいて、ある程度機械的に強制力をもってできるようにしておかないと実行は困難です。「品揃え上、必要だから」というような曖昧_{あいまい}な理由で在庫を持ち続けるならば、在庫商品を絞り込むことはできません。

　在庫の仕分けを行わないでいるとどうなるでしょうか。じつは多くの会社が経験していることと思われますが、新たな商品がどんどん加わって、取り扱いアイテム数が増加の一途をたどることになってしまいます。

　あるメーカーでは、商品の分野ごとに在庫するアイテム数の上限を決めており、新しい商品を出す場合には、必ず同じだけの既存商品を在庫商品から外さなければならないというルールを設定しています。

　このルールに則って外す商品を選び出すための具体策として、定期的な在庫仕分けが行われています。

　一般的な傾向として、新商品を開発したい、新しい商品を扱いたいというニーズは高く、かつ強いのですが、取り扱いアイテム数の増加はそのまま在庫管理の手間を増やし、管理レベルを下げてしま

いますし、欠品・過剰在庫が発生して利益率を押し下げることにも
つながります。数字をもとにルールを作り、アイテム数の無秩序な
増加を防ぐことが必要です。

常に在庫を維持すべき「在庫品」

　在庫仕分けを行ったうえで、「在庫すべき」と判断されたアイテム
は、会社で設定している在庫管理ルールに則り、計算式で必要量を
算出し、継続的に補充を行っていきます。

　この対象商品の多くは、PPM分析でいう「金のなる木」に相当し
ます。欠品や過剰在庫のないように必要最小限の在庫を維持し、
しっかりと利益を稼ぎ出すことが求められます。

図　安定的に在庫を維持するべき「金のなる木」

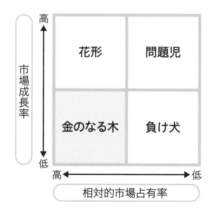

売れ行きが落ちているなら早いうちに販促をかけ、補充はしない

　出荷が減って受注生産に切り替えることを決断した商品は、今
持っている在庫を早めに売り切る工夫が必要です。いつ売り上げが

止まるかわからないからです。「売り上げが止まってから売る努力をしてもほとんど無意味」という言葉は、あちこちの会社から聞いています。売り上げが完全に止まる前に、販促をかける、価格を下げるなどで売り切る努力が必要です。

　気をつける必要があるのが、この販促活動により出荷が増えたとしても、その商品の在庫補充をしてはならないということです。冗談ではなく、多くの会社で失敗談として実際にお聞きするので、みなさんは同じ轍を踏まないよう気を付けてください。

販売終了と決めたら発注点が来ても補充しない

　販売終了と決めても、まだ在庫が残っている場合があります。ここでも気をつけなければならないのが、発注点が来た時に発注しないようにするということです。

　在庫管理システムや発注支援システムが導入されている場合、自動的に計算・発注が行われてしまうならば、このプロセスを商品ごとに止められる仕組みが必要です。

　手動でももちろん構いませんが、きちんと補充発注を止められるようにしておきましょう。もう販売しないと決めた後に、在庫が増えてしまうのは、何とも空しいことです。

過去実績から需要が読めないなら、計算式による管理対象外

　新商品は、過去実績から需要が読めない、在庫管理が難しい商品という位置づけになります。過去実績がないため、計算式で必要な在庫量を算出することはできず、人が発注量も在庫量も決めねばな

りません。

　新商品は、PPM分析では「問題児」に相当します。問題児は「花形」「金のなる木」に育つこともあれば、「負け犬」になってしまうこともあります。

　新規投入の際に用意した在庫がほぼ売れ残ったという悲劇は、残念ながらよくあることです。在庫品を絞り込み、在庫管理の手間を省くことで、在庫管理担当者がこの分野へきちんと時間を割き、丁寧な対応ができるようにしましょう。

図　新商品は伸び代のある問題児

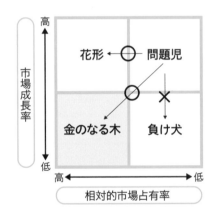

発注法導入効果の確認をする

過去1年のデータを使いシミュレーションを行う

　自社に合うと思われる発注法を選定したら、いきなり現場に導入するのではなく、過去１年分以上のデータを用い、シミュレーションを行ってみましょう。

　次ページの図表は、第１章の倉之助くんの会社の出荷及び在庫データを用いてシミュレーションした結果をグラフにしたものです。
　１年分のデータですが、週単位でまとめているので、52週分ということになります。

　まずグラフの見方を説明します。

- 黄色の折れ線グラフ：実際の在庫量
- 灰色の折れ線グラフ：計算式に沿って在庫を補充したシミュレーションの在庫量
- 点線の細い折れ線グラフ：週当たり平均出荷量
- 棒グラフ：実際の出荷量（週単位）
- 黄色のプロット：シミュレーションの在庫発注量

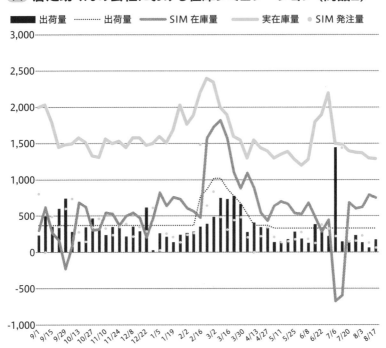

図 倉之助くんの会社における在庫シミュレーション（商品Z）

このグラフから、シミュレーションで何をチェックすべきかを見ていきましょう。

在庫量の増減、欠品発生の増減をチェックする

最も重要なのが、「システムに任せて在庫量は減らせるのか」ということでしょう。これは、折れ線グラフを比較することで簡単にわかります。灰色の折れ線グラフのほうがほぼ常に少量となっており、この商品では、システムのほうが在庫量を抑えることができたことがわかります。

　一方、在庫量を抑えると欠品の発生が心配されますが、シミュレーションでは欠品は２回のみ、発生しています。灰色の折れ線グラフが０のラインを下回っているところが欠品です。

実際には欠品しそうになると人が調整している

　シミュレーションでは欠品が発生していたわけですが、欠品の評価には注意が必要です。「実際」に欠品が発生していなかったかどうかをデータで把握することは、意外に難しいのです。

　この商品では「実際」には、欠品は発生していなかったことになっていますが、担当者が発注量を調整し欠品を回避した可能性もあります。担当者が何もしなかったとしても、在庫がある分しか出荷はできないので、このグラフから欠品の発生を読み取ることはできません。欠品した回数を別にカウントするような対応をしないと、欠品があったというデータは残らないのです。

季節波動にはどう対応するか

　この商品は、３月に新年度に向けての準備として需要が高まることがわかっています。過去実績から、年間平均の２～３倍になるということなので、システムにもその情報を与え、計算式にも反映させています。

　週当たり平均出荷量の折れ線グラフが３月のあたりで高くなっているのがおわかりいただけると思います。これに備え、２月中旬の週から発注量を増やし、在庫量を増やしています。

　実態のほうでは１月頃から在庫量を増やし始めていますが、増やす量については安全を見込んでか、多すぎるようです。

過去実績から想定できない大口出荷は事前情報の可能性あり

シミュレーションで欠品してしまった1つの原因は7月の大口出荷です。1500個近い出荷があったことになっていますが、これはその時点の週当たり平均出荷量が300を少し上回っているくらいですから、その5倍近くになります。過去実績から読み取れるはずもありません。「実際」にはどうだったかと言うと、その3週間前には大量の在庫を積み増していて、大口出荷の情報を入手し、それに対応していたものと思われます。欠品は回避できていますが、その後にも入荷があって在庫は増えています。見込み違いがあったのか、残念ながらその後、在庫量は高止まりしてしまっています。

大口出荷の上限を決める

どのくらいの大口出荷までをシステムで対応するかを決めておく必要があります。この例のように平均の5倍にもなる出荷に自動で対応させるとすると、大量の在庫を常時保持することが必要になりますが、それは現実的ではありません。

全商品について過去実績から傾向をつかみ、平均の何倍まで対応するかを決定します。例えば平均の2倍を超える出荷が年に何回あるかを計算し、まったく事前情報がなかった場合に欠品になってもよいかを検討しましょう。許容できない場合には、対応できるだけの在庫量を保持しようということになります。

通常であれば平均の2倍、多くても3倍程度が目安になると思われます。何らかの事情で絶対に欠品させたくないという商品があれば、その商品について、さらに上積みを検討します。

半年または1年に1回程度、見直しの必要を検討しましょう。

欠品・過剰在庫の発生を予防する

欠品の定義

　欠品と過剰在庫は同時に発生します。両方とも、在庫管理の失敗により発生するものだからです。

　しかし、両方とも、意識しないと発生していることにすら気づかない場合があるのです。しっかり把握して、発生したらすぐ対処できるようにしたいものです。もちろん、発生させないのがあるべき姿です。

　まず、欠品は、どういう状態を欠品と呼ぶかを決める必要があります。

　在庫管理システムにおいて、在庫がゼロになったら「欠品」というのはわかりやすい例ですが、営業担当者が顧客からの注文を聞いて在庫量を確認した際、足りない時は数量を調整して受注情報に変えるはずです。

　本来的には欠品発生と言える事態ですが、在庫管理システムを監視していても、このような事態の発生は欠品として把握できない場合が多いと思われます。自社のシステムでは何を「欠品」と捉え、どのように集計できるのかを調べておきましょう。

　システムでは把握できなくても、必要だと思う情報があれば、収集する方法を考えましょう。

欠品が発生する際のパターンを整理する

欠品を把握するのは、どんな時に欠品が発生するのかを分析し、そのような事態の発生を回避するためです。

多くは、以下のようなパターンで発生します。

❶ 1回の出荷が平均よりもかなり大量だった時
❷ 平均を少し上回る出荷が継続した時
❸ ちょうど在庫が減っていた時の少し多めの出荷

これを防ぐためには、安全在庫を活用することになります。本書では、安全在庫は実績値をベースに「〇日分」という形で持つことを推奨しています。どのくらい持てば欠品を出さずに済むのかを、過去実績からシミュレーションします。過去実績は必ず繰り返されるとは限りませんが、参考にはなります。

欠品をどこまで許容するか

欠品するかどうかはこれからいくつ注文を受けるかで変わるものですから、確実に予測することはできません。ですから、絶対に欠品させないように安全在庫を持とうとすると、相当な量の在庫が必要になります。

安全在庫を統計的に計算する方法を用いると、欠品の確率を予測できるので、それを使って在庫量がどうなるかを試算してみてください。(安全在庫の計算方法は第3章第10節で詳しく解説しましたので復習される方はそちらを読んでください。)

欠品を許容するアイテムを区分する

「どの商品も決して欠品しないようにする」という管理は、本来、非現実的です。めったに出荷されないようなものまで「絶対欠品させない」という方針で安全在庫を持つと、在庫量は大きくふくらみます。また、それらの多くは結局売り切れずに不良在庫となり、いずれ処分しないといけなくなってしまうでしょう。

　一方で、まったく方針を決めずに欠品が発生すると、在庫管理担当者が責任を追及されることになるでしょう。それを防ぐためには、前述したサービス率を用い、商品ごとにどの程度欠品を許容するのかの基準を決めておくことが有効です。

　また、出荷頻度や出荷量が少ないものについては、一定の水準をもとに、欠品を許容するルールを作ることも必要です。元々の在庫量が少ないので、少し需要が上振れするだけで欠品する可能性が高いためです。

過剰在庫を定義する

　何を「過剰在庫」と呼ぶのか、まず定義をしていきましょう。もうおわかりのように、大量の在庫があるからと言って、それが過剰在庫とは限りません。適正在庫の定義を第３章で説明しましたが、制約条件により持たざるを得ない在庫量があり、その範囲内におさまっていれば適正在庫、オーバーしていたら過剰在庫です。

　とくに制約条件がないという場合には、出荷量と対比しての検証が必要です。最もシンプルな検証は、補充間隔を踏まえた対比です。今の在庫量は現在の出荷量と対比して何日分ありますか？

図 補充間隔を踏まえて適正な在庫量を考えてみる

在庫量	補充間隔	過剰かどうか
1か月分	1か月	おそらく適正
1か月分	1週間	過剰のおそれあり
3週間	1週間	過剰のおそれあり

　上記の表で3週間分の在庫量を持っている場合に「過剰のおそれあり」としていますが、1週間分の在庫量と2週間分の安全在庫というように明確なルールに基づいて保持している場合には、適正な在庫量と言うことができます。

過剰在庫が発生するパターンを整理する

　どんな時に過剰在庫が発生するかを把握し、その原因を見極め、原因となる事象を起こさないようにする。これが過剰在庫の発生を防ぐ方法です。

　過剰在庫が発生する原因としてよく挙げられるのは、下記のようなものです。

❶ 新商品の販売見込みが外れた
❷ 販促活動の見込みが外れた
❸ 顧客が取り扱わなくなった
❹ 消費者に飽きられた
❺ 仕入れロットが大きい
❻ 出荷のブレが大きい

改善の担い手は営業部門や仕入れ部門

①はなかなか解決が難しい問題です。何度か解説していますが、新商品には通常の在庫管理の計算式で最もあてにしている過去データがないからです。"類似の新商品の新規投入時"などを参考に、頼りになる情報を探していくしかありません。これについては、次のライフサイクルの節で詳しく触れます。

②～④は社内の協力で過剰在庫がかなり抑えられる可能性があります。つまり、顧客と接する営業部門とともに過剰在庫が出ないよう取り組むことで改善の可能性は大きく高まります。

②の販促活動については、営業部門において、より綿密に販促計画を立ててもらうことが必要になります。在庫管理部門では、過去の同じような販促活動において、出荷がどのように動いたか、どのような補充を行ったかなどの分析を伝えることで、計画の精度を高める支援ができる可能性があります。

③、④については、ライフサイクルの節で説明します。

⑤については、仕入れ部門の動き次第で状況の改善があり得ます。まずは仕入れロット引き下げの交渉です。仕入れロットが大きいことは、在庫管理の難易度を高めます。少しでも仕入れロットを小さくできれば、在庫量の抑制につながります。

⑥については、突発的に大きな出荷に引っ張られて多すぎる通常在庫を設定してしまわないよう特需をチェックし、1日当たり平均出荷量を調整することが考えられます。

また、出荷量が落ちてきたならば、決められた仕入れロットでは

なく、単価が上がろうとも売り切れる量しか仕入れないといった調整も行うべきです。出荷量に対比して大きすぎる仕入れロットなどがあれば、在庫管理部門から改善余地として他部門に対し、情報発信していくべきでしょう。仕入れた大半が売れ残るならば、安い単価で仕入れたところで無意味になってしまいます。

より最終需要に近いデータを獲得する

「ブルウィップ効果」という言葉があります。ブルウィップは、日本語に訳すと「牛のムチ」なのですが、在庫管理の問題の1つとして使われる言葉で、手元の小さな変化が、遠く離れると大きな変化になるという意味です。

図 **ブルウィップ効果**

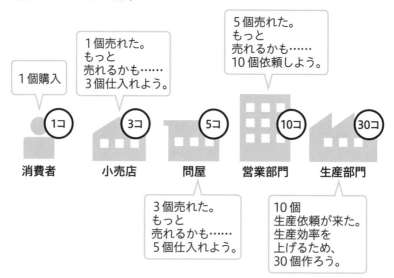

　図表のように「発注」が繰り返されることによって、消費者は「１個」しか買っていないのに、消費者から遠く離れたメーカーの生産部門では、実際の需要を大きく上回る在庫を生み出してしまうことがあるのです。

　これを防ぐためには、メーカーの生産部門が「自社の営業部門からの生産依頼内容しか知らない」状況では在庫管理の改善は不可能です。なるべく最終需要に近い情報を入手し、それに基づいた行動がとれるようにするような体制が必要です。

　究極的には、サプライチェーンを構成する企業がみな、最終需要を把握でき、その需要を満たすように動くことができれば、余計な在庫を生み出したり、余計な在庫を運んだり保管したりといったムダを大幅に減らすことができるでしょう。

　卸や小売では在庫を持ちたくないがゆえに、売れた数だけを補充するルールになっているところもあります。

　その場合、ブルウィップ効果は起きないことになりますが、多くのメーカーでは在庫を持たざるを得ず、生産単価・仕入れ単価低減への思い入れも強いため、営業部門が受けた発注量を大きく上回って生産量が決まるブルウィップ効果は日常的に発生しています。

サプライチェーンとしての取り組みもある

　最終需要に近いデータを把握し、サプライチェーン全体として必要な量を供給しようという動きは、自社のみでなく、サプライチェーン全体の在庫を最適にするという点で、最高の在庫管理レベルを目指す姿であるといえます。

ライフサイクルによる在庫管理

【新規投入】過去実績を参考に新規投入量を決める

　商品のライフサイクルの視点から在庫管理を考えてみましょう。
まず、商品のライフサイクルは下記のように整理されます。

① 新規投入
② 成長期
③ 安定期
④ 衰退期
⑤ 終売

　新規投入の在庫管理は最も難しい局面です。商品の過去データが
ないので、何をもとに必要量を計算してよいかわからないからです。
　多くの会社で過剰在庫になる最大の原因として「新商品の販売見
込み外れ」が挙げられています。
　新商品の在庫管理における改善の方向としては、過去データを何
とか活かすという手段しかありません。切り口として、"過去の新
商品"のベンチマークがあります。過去の自社の商品の中で、ター
ゲット顧客や商品特性が似ているものを見つけて、それと似たよう
な動きをすると仮定して備えるのです。

　新規投入後、"手ごたえがわかるタイミング"はいつでしょうか。そして、「これは売れそうだ」と判断できた時、増産して市場に投入するまでにかかる期間はどれくらいでしょうか。

　新規投入時、見込み外れによる過剰在庫発生を最小限にするためには、在庫の投入は必要最小限にするべきでしょう。ここで言う必要最小限とは、判断までの期間を賄える在庫量です。

　もし、新規商品投入後1週間で判断ができ、そこで増産発注を行ったら新規投入1か月後には増産分が市場に投入できるという場合には、当初の投入量は、販売見込みの1か月分が目安になります。

　さらに新規投入量を減らす方法は2つあります。1つは、売れ行きの判断をなるべく投入後すぐに行うことです。1週間ではなく、3日で判断できれば、3～4日分の在庫量が減らせます。

　あるメーカーでは、信頼している小売店のバイヤーがいて、その人の判断がかなり当たると言っていました。新商品の投入前に、このバイヤーに感触を聞き、見込みを立てているそうです。こんな人が見つけられれば、市場への投入前からおよその判断がつけられることになります。

　もう1つの方法は、増産のリードタイムを短くすることです。もし、増産指示から2週間で市場へ投入できるとなれば、当初の投入量を1週間分減らせることになります。

【成長期・安定期】計算式に任せて運用

　この時期の商品は、活用できる過去データもあり、順調に出荷が継続しているので、在庫管理上、大きな問題はありません。基本的には計算式に任せて、計算された発注量のとおりに発注していけば

よいと言えます。

　ただし、成長期において出荷量が伸びるスピードが速いと、在庫量を増やす対応が追いつかない可能性があるので、欠品が発生しないよう注視が必要です。

　また、売れ行きは常に変化しているので、出荷が減少して衰退期に進んでしまっていないかのチェックも常に必要です。

【衰退期】売れ残りを出さない、定価で売り抜く

「衰退期」にあたるのは、これまで安定した出荷が継続していた定番の商品の他、新商品で販売見込みが外れた商品も分類されます。

　終売のタイミングでは、どの商品も在庫を売り切ることが理想のゴールなので、そこへ向かって準備をしていくことになります。「今ある在庫が売り切れた時点で終売」とするのか「〇日までは売る」とするのかを販売部門・在庫管理部門で検討し、決定します。

　衰退期に入ったと判断した途端、もう補充はしないという決断もあり得るでしょう。そのほうがムダなく売り切れる可能性は高いと思われます。

　とは言え、「〇月〇日までは売り続ける」と判断しなければならない場合もあります。この場合、これまでの発注点とは関係なく、その日までに必要と思われる在庫量を補充することとし、それまでの発注量計算はやめるという方法もあります。

　早めの決断をすることで、なるべく定価で売り、在庫処分セールとする量を減らしていくのがよいでしょう。

【衰退期～終売】終売を意識して補充量を決める

　安定的に売れていたにもかかわらず、衰退期に進んでしまった商品は、需要が落ちるサインが明確に見つけられるはずです。

　例えば「顧客が取り扱わなくなった」「カタログ掲載から外れた」「チェーン店での取り扱いが終了した」といったものがサインです。このようなことが起こった時、必要な在庫量は、それまでの水準よりも大きく下がります。以前と同じ量の在庫を保持していると、過剰在庫のリスクが増します。

　1日当たり平均出荷量を切り下げる、安全在庫は持たないようにするといった方法により、在庫量を減らしていきましょう。

「消費者に飽きられた」ケースでは、急激に人気が低下した場合はともかく、通常ならば、だんだんと出荷量が落ちてくるはずですから、注意深くデータを見ていれば早めに気づけるはずです。このような変化は、在庫管理部門が注視しておくべきと言えます。

　衰退期における在庫管理部門の役割を考えてみましょう。

「○○チェーンでの取り扱い終了」のような情報は、営業部門が事前に情報をとれるはずです。このような情報をなるべく早く入手できるよう、顧客との関係を築いてほしいものです。

　なるべく早い段階で顧客から情報を入手するのはもちろん、営業部門からは迅速に社内へ情報共有を図ってもらう必要があります。この情報共有が遅れたために発生した過剰在庫がもしあれば、営業部門の責任とするといった措置もあり得るでしょう。

　在庫管理部門においては、衰退期となった商品の在庫水準の引き

下げを行います。売れ行きが完全に止まる前に、出荷できるものは出荷してしまうという目標設定も有効だと思われます。

【終売期】すべて売り切る

　終売の際に理想的なのは、その商品がすべて売り切れるということです。販売終了日が決められたならば、そこまでに売り切れるかどうかを日々チェックします。最新の販売予測と販売実績がズレていないかをチェックし、販売実績が追いついていなければ営業部門へその旨連絡します。

　この時期では、在庫ゼロに向けてみなで努力することになるので、在庫量は減少していきます。ここでうっかり補充発注をしてしまうことのないよう、終売に向けた商品であることが誰にでもわかるようにしておきましょう。

季節品の在庫管理

過去実績から出荷パターンを予測する

「季節品」とは、季節限定で販売される商品のことです。過去データをもとに今後の出荷状況を予測するのは、他の商品と同じです。もし夏の間だけ売られるような商品であれば、過去データは前年の夏のデータです。1年分だけでなく、過去2〜3年分のデータがあったほうが、より正確に傾向を読み取れるでしょう。

この過去データを参考に、営業部門の立てた販売計画と対照し、今シーズンの在庫計画を立てます。ほぼ同様の商品ならばもちろんのこと、「前年のものから大きくリニューアルした」という場合にも、同じような位置づけの商品であれば、前年データを参考にします。

終わりが見えるからこその全体管理

季節品は、投入前から販売終了時がわかっています。例えば「暑い間しか売らない」とか、バレンタインデーに向けたチョコレートなどのように「〇月〇日までしか売らない」といったものです。

在庫管理としては、販売期間中に欠品がないことは当然求められる一方、「販売期間を過ぎての在庫は持っていたくない」という難しい管理をせねばなりません。

これを実現するためには、まず、今シーズン全体での販売量を予測することが必要です。メーカーだけでなく、問屋、小売業者も連

携してサプライチェーンで取り組むのが理想です。

前シーズン実績を参考に月別予測を立てる

　シーズン全体での販売量が予測できたら、その数字をもとに、新規投入の量、初回補充を決定する時期を定めます。

　この時、前シーズンの売れ方を参考に、売れ方のパターンとしては、ほぼ同じ流れを描くものと想定します。

　ある商品が前年、全体で1万個販売されたとします。販売期間中の販売量の割合を出し、今シーズンも割合は同じで推移すると予測し、これに間に合うよう在庫を用意する計画を立てます。

　今シーズンの販売量予測が11000個であるならば、月別の販売予測は下の図表のように推測するわけです。もし、実施が決まったイベントなど、前年と異なる事情があるならば、営業部門と協議して販売予測を調整します。

図　前シーズンの販売状況と今シーズンの販売予測

	シーズン全体	6月	7月	8月	9月
販売実績	10000	2000	4000	3000	1000
		20%	40%	30%	10%
販売予測	11000	2200	4400	3300	1100

新規投入量、初回補充決定時期を決める

　月別予測が立てられたら、新規投入量及び「最初の補充量の決定をいつまでに行うか」を決めます。

　新規投入量は、非常に重要です。過剰在庫の多くは、新商品の販

売量の見込み外れから発生しています。新規投入は、欠品を出さないことを目指すべきである一方、売れ残りは最小限にすべきです。

　前ページの図表で言えば、６月に2200個売れるという予測に基づき必要な量を用意しますが、予測よりも売れそうだ、あるいは売れなさそうだということが判断でき次第、増産を開始、または生産をストップさせるようにします。

　そのためには、いつまでに増産または生産ストップの判断ができるか、この見極めが重要です。このタイミングが早いほど、予測が外れた時の傷が小さいと言えます。

　市場に投入され、販売開始後３日で判断がつけられそうだとします。予測より売れそうだと判断した場合、増産する必要が生じますが、このタイミングで増産指示を出した場合、いつ補充が叶うでしょうか。

　10日で増産分を市場に投入できるとすると、新規投入量は、当初判断にかかる３日分と、増産指示を出した後の増産にかかる時間として10日分、これを合計して13日分を販売期間の当初に投入すれば、予測を上回る売れ行きの場合にも、欠品なく対処できます。

　もし、残念ながら予測より売れず、シーズン全体でも予測の11000個は無理だという状況であれば、ここで補充生産をストップするか補充量を減らすことで過剰在庫の発生を最小限に抑えることができます。

予測どおり売れているかを適宜チェックする

　最初の判断時期を過ぎた後も、計画どおり最後まで売り切ることができるか、常に監視します。

　数か月で売り切るものであれば、1週間に1回程度のチェック及び見直しでよいと思います。月々の販売予測から外れていないかをチェックし、外れていれば増産ないし補充ストップの判断をします。

　同時に、今シーズンの販売状況を振り返り、今シーズン全体の販売予測を行います。「想定より売るのは無理そうだ」と判断したら、余分な在庫を生産しないように生産量を調整します。

販売期間から最終補充時期を決める

「販売期間を過ぎたら在庫はゼロ」を達成するためには、最後の補充のタイミングと量が非常に大事です。

　頼りになるのはやはり過去データなので、今シーズンの販売量と、前シーズンの出荷パターンから、毎週、「今シーズンの販売総量」を予測します。

　また、今ある在庫及び発注残（生産依頼済みだが入荷していない在庫）の合計が、これまでの販売量と比較して「何日分」に相当するかを計算します。

　もし、上記計算をしている中で「〇日分」が販売終了期間を超えてしまっていたら、在庫の補充はストップし、今ある在庫の売り切りに専念します。

補充リードタイムと販売期間から補充の〆切を決めておく

　季節品の場合、いつまで在庫補充を行うかというのは気になる問題です。今ある在庫量を日数換算した場合に販売終了期間を超えるようであっても、もう在庫補充は行いませんが、その前に「〇日分であろうが、もう在庫の補充はしない」というタイミングもあります。

　補充リードタイムとの関係で、「最後の補充指示」をいつまでにするかを決めるのです。これは、当該季節品の投入計画段階から決めることが可能です。

　例えばここで例に挙げた商品の補充リードタイムは10日でした。季節品の販売期間を９月10日までとするならば、最後の発注日は補充リードタイムを見込み、ぎりぎりでも８月31日になります。また、この日に発注を行うならば、「９月10日に売り切る量」になります。

定価で売り抜く管理

　商品の市場への投入計画段階から、販売終了期間・最終補充指示のタイミングまで決めておくことにより、販売する側として期待されるのは、「定価で売り切る」ということです。

　在庫が余りそう、過剰在庫となると、余らせないために安売りが行われ、利益を削ってしまうことになります。

　在庫を余らせないように管理することで、定価で売り切れる確率が高まります。

定期不定量発注法での
在庫管理レベルを上げるには

需要の変化に対応するには発注間隔は短いほうがいい

　生産にかかわる発注においては、不定期不定量発注法で「いつでも発注できます」とすることは難しいので、定期不定量発注法を採用せざるを得ません。

　ただし、定期不定量発注のままであっても、在庫量を削減することは可能です。メーカーの生産計画には、月単位や旬単位、週単位などがあります。

　月単位の生産計画では、1か月分の在庫に安全在庫を持つ必要がありますから、1.5か月分程度の在庫が適正在庫ということになります。

　月単位の生産計画を週単位に変更すれば、適正在庫は1週間分プラス安全在庫となりますから、大幅な在庫削減が可能になるということができます。

リードタイムが短ければ市場の変化に合わせやすい

　月単位の生産計画を旬単位や週単位に変更するということは、生産リードタイムを短縮して市場の変化に迅速に対応できるようになることでもあり、在庫管理上は一石二鳥です。

　例えば5月中旬に定番商品の人気が上がってきた場合、6月の生産計画に増産を入れ込めたとしても、市場に投入ができるのは7月

になってしまいます。需要の増減が早ければ、投入できる頃には人気が下火になってしまっているおそれもあります。

　一方、週次で生産計画を立てていれば、５月中旬に盛り上がってきた人気に合わせ、５月の最終週には生産計画に入れ込める可能性があります。それができれば６月初旬に市場に在庫を送り込むことができます。人気が盛り上がっているうちに、対応できる可能性が高いと言えます。

　市場の変化に即応するため、生産計画の立て方を月単位から週単位へ、さらに短縮して日単位へという動きは確実に起こっています。

制約条件を小さくする努力

発注ロット、生産ロットを小さくする

　未来の需要が読めないからこそ在庫管理は難しいわけですが、制約条件があることによって、在庫管理はさらに難しい状況に追い込まれます。

　例えば、在庫が1000個必要だという時に、発注ロットが「3000個以上」と決まっていれば3000個発注するしかありません。生産ロットが「1万個単位」であれば1万個発注しなければなりません。

　何度か触れましたが、このような条件は、在庫を需要に合わせることを制約するという意味で「制約条件」と呼ばれます。

　在庫削減においては、第3章で説明した適正在庫を維持する取り組みと同様に、このような制約条件を排除・縮小していくことが重要な取り組みとなります。

　なぜなら、生産ロットが仮に1万個であれば、どうしても一時的に1万個の在庫を抱える必要が生じてしまいますが、生産のやり方を変えて1000個ずつでも生産できるようになれば、1000個必要な時には1000個のみ調達できるからです。

　生産ロット、発注ロットとも、在庫管理の視点では、なるべく小さいほうが望ましいと言えます。取引先から、「発注ロットは小さ

くすることも可能だが単価は上がる」という条件を提示されることもあるでしょう。その時には、ぜひ「今の発注ロットのまま買った場合の売れ残るリスク」も検討してみてください。

　１万個買って、9000個売れ残ってしまったら？　仕入れ単価が１割上がっても1000個購入で済ませるほうがよかったのではないでしょうか。

発注間隔を短くする

　発注間隔も制約となります。生産サイクルに触れましたが、それと同じことです。発注作業や荷受け業務をなるべくまとめて行いたいとして、月に１回発注すると決めている場合、適正在庫量は「１か月分＋安全在庫」となります。

　これを「週に１回発注を行う」というように発注間隔を短くすれば、適正在庫量は「１週間分＋安全在庫」となります。

　月１回の発注というスケジュールを変更しないまま、どんなに在庫削減の努力を行っても、適正在庫は「１か月分＋安全在庫」を下回ることはできません。

　制約条件を小さくする取り組みは、在庫削減に非常に効果的であることがおわかりいただけると思います。

リードタイムを短くする

　時間にかかわる制約条件として、リードタイムもあります。生産や納品など、在庫の調達にかかわるリードタイムすべてを指します。在庫管理上は、どれも短いほうがありがたいものです。

取引先との関係で決まっているリードタイムについては会社間の力関係で決まる部分もあり、容易に変更するのは難しいかもしれませんが、社内のリードタイムならば、市場への即応力を高めるという観点から、在庫管理部門から提案してもよいのではないでしょうか。

　リードタイムが長いことにより、「欠品が発生している」「市場への即応ができなかったことにより増産した分の市場への投入が遅れ、売れ残りが発生してしまっている」などの弊害が発生していれば、改善を検討する理由はあるはずです。

サプライチェーンで連携して取り組む

返品をなくす取り組み

中間流通である卸やメーカーでは、返品にかかわる損失が明確に発生しているのは言うまでもないことです。

一方、小売店ではバイイングパワーによって売れないものを返品し、売れなかったことによる損失を川上側に押し付け、自社では損失を実感することもない、というように思われているかもしれません。

ですが、返品にかかわる業務はイレギュラーであるために一般に作業効率が悪く、時にはアルバイトでは対応ができずに社員が対応しなければならないなど、人件費単価も高くつくことが多いのです。

返品業務が多いということは、小売店の人件費を押し上げ、潤沢とは言えない店舗スタッフの労働時間を圧迫し、売れている商品の補充など、行うべき作業にかける時間が削られることにつながります。

返品で実質的に損失がないように見えても、業務にかかる時間やコストで、大きな損失が発生しているわけです。

つまり、返品を減らすことは、サプライチェーンを構成するすべての企業にとって、不要なコストを減らし、売り上げを伸ばし、利

益を拡大させることにつながります。

　また、「2024年問題」でも注目される労働時間の問題についても、返品が減れば余計な作業時間を抑制することにつながるので、よい効果が出ることになります。

製配販の取り組み

　在庫にかかわる問題は、社内では部署にまたがる問題であり、サプライチェーン内では、企業にまたがる問題となります。ですから、一部門あるいは一社だけの取り組みでは、大きな効果は期待できません。

　サプライチェーンとしての取り組みは強く推奨されており、例えば経済産業省が積極的にサポートを行っている製配販連携協議会においては、「サプライチェーンイノベーション大賞」の選定・表彰があります。2021年、在庫にかかわる取り組みが大賞を受賞したので紹介します。

　ちなみに「製配販」とは、製造、中間流通・卸、小売業の略称で、メーカー、流通業者、小売業者が連携して取り組むことを表現しています。

　現在、国を挙げて物流危機への対応が迫られており、国土交通省、経済産業省、厚生労働省、農林水産省などが合同で、また独自にもさまざまな対策を打ち出しています。

返品削減には在庫適正化が絶対条件

　2021年に大賞を受賞したのは、在庫の適正化にかかわる取り組

みでした。過剰在庫や返品の問題を改善するために、サプライチェーンを構成するライオン（製）と、PALTAC（配）、スギ薬局（販）の３社が企業の枠を超えて、まさしくサプライチェーンとして相互に協力した事例です。

この事例では、さまざまな現状分析と把握により、「返品の削減には在庫の適正化が絶対条件であり、そのためには、商品のライフサイクルに合わせた情報共有を、今よりももっと早期に開始する必要がある」と判断されました。

このため、発売準備にかかるタイミングと、終売にかかるタイミングとで、それぞれ現状より３か月前倒しで情報共有するというルールが作られました。

在庫はベンダーが管理するほうがうまくいく

VMI倉庫というものがあります。「Vendor Managed Inventory」の頭文字をとってVMI、「ブイエムアイ」と読みます。顧客がバイヤー、納入側がベンダーですが、ベンダー（納入側）が倉庫の在庫を管理する方式です。

完成品メーカーと部品メーカーの間や、小売業と卸売業またはメーカーの間、つまり１つのサプライチェーンの構成企業の間で行われることがある方式です。

"買う側がバイイングパワーを発揮して在庫管理までベンダー側に押し付けようとしている"のではありません。VMI倉庫は双方にメリットのある方式であり、究極的には理想の方式になる可能性もあります。

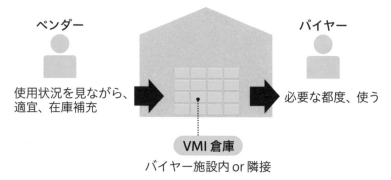

図 VMI倉庫のイメージ

ベンダー

使用状況を見ながら、
適宜、在庫補充

VMI 倉庫
バイヤー施設内 or 隣接

バイヤー

必要な都度、使う

双方にメリットがあるVMI倉庫

VMI倉庫は、通常、バイヤーの物流センターの近隣に設置されます。バイヤーの物流センターや工場の一角に設けられることもあります。

そこに置かれている在庫は「バイヤーに使用されるまではベンダー側の資産」です。バイヤーがここから在庫を引き取ったタイミングや在庫が使用されたタイミングでベンダー側の売り上げとなります。

ベンダー側は、このVMI倉庫の在庫を切らさないよう維持せねばなりません。

バイヤー側では、自社の売り上げデータなど、ベンダー側が必要な在庫量を見極めるために必要な情報を提供する責任を負っています。

VMI倉庫にはそれぞれにメリットがあり、次ページのように整

理されます。

- バイヤー側のメリット
  - 日々の発注業務からの解放
  - 在庫削減
  - 欠品による販売機会ロスの低減
- ベンダー側のメリット
  - 細かな注文への対応からの解放
  - ブルウィップ効果の影響の抑制
  - 物流コストの低減
  - 販売機会ロスの低減

「発注」がなくなる？

　VMI倉庫の導入によって大きく変わることは、「発注が不要」になることです。「発注」という業務は当然のように行われていますが、この業務がなくなると、物流現場では数々のムダが一気に解消されるのです。

　「発注が不要になることなど、あるはずがないだろう」と思われるかもしれませんので、「発注」が何のために行われているか、具体的な例で考えてみましょう。

　バイヤーはスーパーマーケット、ベンダーはそこへ納入している卸売業者とします。VMI倉庫を設けていない場合、スーパーマーケットは、店舗で何が売れたかという販売状況を把握し、店舗やバックヤードの在庫情報をチェックしたうえで、必要な商品と数量を卸売業者へ伝えなければなりません。これが「発注」です。

卸売業者もメーカーに発注を行っていますが、自社の出荷状況と在庫状況を見て、必要量を「発注」します。

　つまり発注とは、在庫を必要とする側（バイヤー）が、供給する事業者（ベンダー）に対して、必要な在庫の内容・量を伝えるために行っている活動なのです。

　しかし、よく考えてみると、必要な情報が伝えられるならば、「発注」という業務にこだわらなくてもよいはずです。

ホテルのバイキングは発注なしのWin-Win

　発注を省いて大幅なコストダウンを実現する方法としてわかりやすいのが、ホテルのレストランなどでよく見かけるバイキングです。バイキングは朝食だけでなくランチやディナーでも行われていますが、人気のポイントは「コストパフォーマンスのよさ」です。贅沢なメニューが好きなだけ楽しめて格安ということです。

　なぜ格安かと言えば、提供側では人件費を大幅に抑えられるのが１つの理由です。客が注文した料理をテーブルに届けるためには、注文を受ける人、料理する人、注文された料理を届ける人、が必要です。

　バイキング形式ならば、料理する人だけいればいいのです。しかも「何を注文されるかわからないから、ある程度のムダを承知で下ごしらえをしておく」という必要もありません。

　バイキング会場にたくさん並べられているメニューは、すべて「在庫」です。客は並べられた在庫を見ながら、欲しいものを取っていきます。提供側では、減っていく様子を見ながら、欠品しない

ように作り足していけばいいので、ロスが抑えられます。

　こう説明すると「注文を受けたメニューだけ作るほうがロスが少ないのではないか」と思われる方もいるでしょう。しかし、4人家族が2品ずつ、違うメニューを頼んだとしたらいかがでしょう？

　誰が何をどれくらい注文するかわからず、受注後、あまり待たせずに提供しなければならないとすると、なんでも作れる料理人を確保し、材料もかなり余裕を持っておかないと対応できません。当然、コストは高くなりますから、提供する料理の値段も高くなります。

　つまり、注文を受けてそれに対応する仕組みは、必然的に提供側に人も材料も大量に用意させるものであり、当然の帰結としてコストも高くなるのです。

　バイキングの場合、提供側が作りやすいタイミングで料理して並べて置き、作り足す際にも、5人分、10人分など、その時に提供しやすい量を作り、補充していけばよいのです。

　バイキングは発注にかかわるコストの最小化と、注文に応えて納品するというコストの最小化が図られたシステムです。サービスの利用者側、提供側の双方にメリットがあるWin-Winの仕組みとなっています。その特徴はVMI倉庫とそっくりです。

サブスクの便利さ＝「発注不要」

　一般消費者向けサービスで最近、飛躍的に伸びているサービスとしてサブスクリプション方式のサービスがあります。毎月定額を支払うことにより、割安にサービスや商品の供給を受けられるものです。

ネットフリックスのようにリアルなものの移動を伴わないサービスが多いですが、中には食品や化粧品、花などを月1回や週3回など、「発注なし」で定期的に届けてくれるサービスも出てきています。このビジネスモデルのメリットは下記のように整理されます。

● 客のメリット
　・発注の手間がない。注文を忘れても届けてもらえる（欠品しない）
● 販売店のメリット
　・受注の手間がない。予想外の注文を受けて慌てたりしない。計画的に業務が行える。

　消費者の立場からすると、発注しなくても必要なものが手に入るのであれば大歓迎でしょう。しかも、通販サイトなどでは、「注文に応じて届ける一般的なスタイル」と「定期便」を比較すると、定期便のほうが割安な価格に設定されています。「価格が安くて手間も少なく」「商品の品質は同じ」であれば、むしろ、定期便を選ばない理由がありません。

もっと発注は省ける？

　生活者の周辺ではすでに「発注なし」のメリットが享受され始めているのです。VMI倉庫の、発注なしで在庫の補充が行われることのメリットもご理解いただけたかと思います。
　もう一歩進めて、さらにコストダウンする方法があります。VMI倉庫に限らず、発注をなくしてしまうのです。

　例えば、スーパーマーケットは常に販売状況と在庫情報をベンダーに開示します。ベンダーはスーパーマーケットのデータを見ながら、欠品させないよう、同時に納品にかかわる物流コストを最小にするよう、納品のタイミングと内容を検討します。

「発注しないと余計なものが送り込まれて買い取らされるのでは困る」といったバイヤーの心配は、継続的に取引を行っているサプライチェーンの関係であれば不要でしょう。ベンダーにとっても、バイヤーが販売機会ロスも欠品も出すことなく営業することにより、自社の売り上げが最大になるはずだからです。

　じつはこのような取り組みが20年以上前、実現されたことがあります。キッコーマンが卸の倉庫に対し、開示された在庫情報をもとに発注を受けずに在庫を送り込んだのです。

　納品車両の稼働率の向上、車両台数の削減など、効率を上げましたが、現在は行われていません。論理的に考えれば、最もローコストな仕組みです。多くの企業の取り組みが待たれます。

環境問題、SDGsの観点からムダをなくす取り組みが求められる

　返品の原因となる過剰在庫は、ムダな物流を生み、ムダな物流コストを発生させるだけではありません。いずれゴミとして処分せねばならないタイミングがやってきます。

　そうなると、ムダなコストをかけ、ムダにエネルギーを消費して、廃棄せねばならなくなります。過剰在庫は、環境問題、SDGsの観点からも、発生を避けたい事態なのです。

在庫の置き場としての 倉庫の問題

在庫管理の失敗による現場の混乱

　在庫が整然と置かれている倉庫は、作業がしやすいものです。ところが在庫がきれいに置かれていたとしても、きちんと売れているものでなくなっている場合があります。

　この問題は、とくに問屋の倉庫で起こりがちです。問屋の倉庫は、自社で必要な在庫を発注して保管している場合だけでなく、その問屋をとおして小売業者に納入しているメーカーや一次問屋が在庫を置いている場合もあります。

　このような場合、悪しき商習慣とも言えるのですが、問屋の倉庫運営には悪い影響が発生していることがあります。

ベンダー管理の在庫は要注意

　在庫を送り込んでくる他社を、ここではベンダーと呼ぶことにします。ベンダーは、問屋の倉庫の適正在庫量など気にせず、ベンダーの都合で置きたい在庫・量を送り込んでくることがあります。在庫の保管料金が発生しない場合、納品車両を満載にすることがベンダーにとって最もローコストになるので、「まだ十分に在庫がある」商品についても、在庫を送り込んでくることがあります。

　そうなると、問屋の倉庫では、かなりの混乱が発生します。まず、

以前からある在庫とはロットが異なるために別のロケ（置き場）を用意する必要があります。同じロケに格納する場合には、先入先出ができるよう、新しい商品を奥に入れるといった商品の入れ替え作業が発生します。

　また、ベンダーが車両の輸送効率を優先に在庫を送り込んでくることから、ロケに入りきらないほどの補充が行われることがあります。

　こうなると、倉庫では所定のロケに入りきらない在庫を、棚の上や通路の端などへ、無理やり仮置きすることになります。

　仮置きはきちんとロケが取られていないため、見つからなくなることがあります。また、通路を狭くしてしまうために、作業効率も落としてしまいます。

棚の中の在庫管理

　このような問題を改善するためには、倉庫内の「棚の中の在庫管理」をしっかり行うことが必要です。出荷量を見極め、「何日分」を持つことが適正かを見極めたうえで、在庫量を調整していきます。

　問屋が自社で発注しているならば、この管理は実現可能ですが、ベンダーが勝手に送り込めるシステムになっていると、この管理体制は実現できません。中には、問屋を自社の倉庫代わりにするベンダーもいないとは限りません。これを避けるためには、保管量に応じた保管料を設定することが考えられます。預かっていれば先入先出の処理など、作業も発生するわけですから、保管料・作業料を取ることは決して理不尽ではありません。

基本としての5S

　倉庫においては、棚に置かれている在庫の量を適正に管理することはもちろん重要です。

　ただ、その前提として、正しくものを見つけることができ、格納しやすく、取り出しやすい環境を整えることも重要です。この環境整備のためには「5S」の徹底が有効です。

　5Sは「ゴエス」と読んで、工場の生産現場などの改善活動に用いられる考え方です。5つのSから始まる下記の言葉の総称です。

① 整理
② 整頓
③ 清潔
④ 清掃
⑤ 躾（しつけ）

　5つのSは次ページの図表のように整理するとわかりやすいかと思います。日々の実際の行動は「整理」「整頓」「清掃」の3つです。これらの3つが保たれている状態を維持するのが「清潔」です。

　清潔という言葉は少し意味がわかりにくいかもしれません。英語では「Standardize」という言葉が使われています。日本語では「標準化する」などと訳されますが、ここでは、「整理、整頓、清掃を誰もが同様に行えるようにルールを作ること」と言ってよいでしょう。

図 5Sのピラミッド

躾 •------------ 習慣にする
決められたことを
いつも正しく守る
習慣づけること

清潔 •------------ 維持する
整理・整頓・清掃3Sを
維持すること

整理	整頓	清掃
「いるもの」と「いらないもの」に分けて、「いらないもの」を捨てること	「いるもの」を使いやすいように置き、誰にでもわかるように明示すること	「常に掃除し、きれいにする」こと

　最後の「躾」は「整理」「整頓」「清掃」の3つについて、手を抜くことなく、決められたことをいつも正しく守ることを維持するという意味で、習慣づけること、と言ってもよいかもしれません。英語では「sustain（維持する）」という言葉が使われています。

　この5Sのピラミッドは、これらの関係性を表現しようとしたものです。

2Sは在庫管理の大前提

　もし、すぐには5Sを完璧に実施することは難しいという場合でも、2Sだけは実施してください。「整理、整頓」です。最低限、これだけはしておかないと、どんなに正しい作業を行おうとしてもムダな努力になってしまいかねません。

整理と整頓は似たような言葉ではありますが、きちんと別の意味が与えられています。しっかり理解すると、現場の改善がレベルアップします。取り組む順番も間違えないように気をつけてください。最初が「整理」。いるものといらないものを分け、不要なものを処分することです。

　その後、「必要なものだけ」にした状態で、「整頓」に取り掛かります。整頓とは、必要なものをすぐに取り出せるように環境を整えることです。もちろん、取り出しやすい環境とは、しまいやすい環境ということでもあります。

2Sは倉庫以外でも重要

　この順番は、倉庫だけでなく、自分の机の周りや部屋の整理をする際にもまったく同様です。

　散らかっている部屋を片付けようとする時、「きれいに見える状態にする」ほうに目が行ってしまうかもしれませんが、余計なものがたくさんある状態で「きれいに見える」ように整えても、きれいな状態は長続きしません。「必要なものがすぐに手に取れる」環境を維持するには、不要なものが置かれていない状態にすることが重要です。

　在庫の置き場がきちんと整理、整頓されていないと、正しい在庫が見つからなかったり、間違えたものを出荷してしまったりします。

　確実でスピーディーな作業のために、現場の整理、整頓は極めて重要です。

SKU数も管理対象

在庫管理の単位「SKU」

SKU (Stock keeping Unit)とは、「ストックキーピングユニット」の略で「エスケーユー」と読みます。「在庫の最小単位」と説明されたりもします。在庫管理は、この単位で管理していくことが必要です。「1 SKU」は「1アイテム」と同じ意味で使うことができます。同じ品物でも、色違い、サイズ違いであれば、別のSKUになります。

例えばアパレル製品であれば単に「シャツ」ではなく、「品番○○のシャツ、Mサイズ、白」がSKUであり、この情報を伝えれば、どこでも同じ商品として認識されるものと言うことができます。

SKU数は管理しないとどんどん増える

SKUの数は、メーカーや流通業者など、どこにおいても「放置すれば増える傾向」にあります。どの会社でも売り上げの拡大を狙い、新製品の開発・導入には熱心なものですが、新製品を扱うということは、扱うSKU数が増えるということです。

新製品の開発には熱心でも、売れ行きが落ちた商品の管理にはあまり関心が持たれません。売れ行きが落ちた商品については「取り扱い中止」といった措置を取らない限り、SKU数は増大の一途をたどります。データベースにはデータが、倉庫には在庫が残ります。

データベースにデータが存在することは許容できなくもありませんが、リアルに在庫が存在している倉庫においては、余分な在庫はさまざまな問題を引き起こします。

SKUの「数」を管理しよう

在庫管理はSKUごとに行うので、SKU数が多いと、それだけ管理の手間がかかります。SKU数が増大しても在庫管理担当者の数が同じであれば、管理レベルの低下に直結してしまいます。

SKU数の増大にともない、「新製品の在庫はあるが売れ筋である定番品が欠品している」「売れ行きが落ちてきた商品の在庫がいつまでもある」といったことになれば、販売機会ロスも当然発生していると考えなければなりません。売り上げアップを狙って新製品を投入しているのに本末転倒な事態です。

これを防ぐためには、SKU数の管理が必要です。放置しておけば増えるわけですから、SKU数を絞り込むためのルールが必要です。

全社またはカテゴリーごとにSKU数の上限を決める、SKUごとに売り上げの下限を決めておき、「発売後〇か月でその売り上げを達成できなかったものは廃番」「年間売り上げが〇万円以下のものは廃番」のようにルール化することが考えられます。

廃番を検討する際、人の判断で行っていると、結局「もう少し様子を見る」という結論になってしまうことも多いので、極力、人の判断を挟むことなく決定できるよう、数値による決定ルールが必要でしょう。

SKU数の増大は格納場所も問題になる

売れていない商品であっても在庫があれば、倉庫ではその商品の

ための場所が必要です。製造ロットや賞味期限が異なれば、"別の商品"として、別の棚に置く必要がある場合も考えられます。

　倉庫ではリアルに在庫の保管場所が必要であり、スムーズに入出荷を行うためには適切に保管場所が区分され、在庫が整頓された状態になっていなければなりません。

　売れなくなった商品は、「処分」という措置を取らない限り、在庫として残ります。貴重な場所を不良在庫、長期在庫と呼ばれる在庫が占拠し、今よく売れている商品が通路にはみ出して置かれているような事態は発生していないでしょうか。

　もし、そんな事態が発生していたら、「せっかく仕入れた（生産した）商品が売れていない」という経営上の問題だけでなく、入出荷作業の生産性の低下、作業生産性の低下による作業コストの高騰といった事態を引き起こしているかもしれません。

売り上げABC分析の方法を知っておこう

　ABC分析という手法があります。取扱品目の売り上げ状況を分析するものですが、「ニハチの法則」などと言って、一般的に「よく売れる２割の商品で８割の売り上げを占めている」ということが言われます。売り上げと在庫のよくあるパターンについて、サンプルの数値でグラフを作成してみましょう。

　まず売り上げについて、一般的なABC分析に則り、取扱商品を売上金額の多い順に並べ、売り上げの構成比率を計算し、構成比率を累積していきます。これをグラフに表したのが次ページの図です。このグラフでは、およそ20アイテムで売り上げの８割を占めており、「ニハチの法則」の状態が見て取れます。

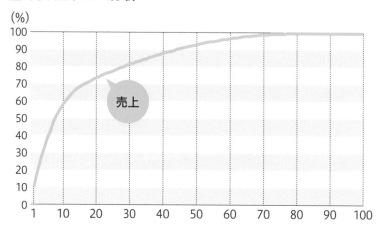

在庫データでABC分析をすると?

このグラフに在庫の状況もあわせて見てみましょう。上記と同じ順に商品を並べ、それぞれの在庫金額を調べ、在庫総額から構成比率を計算し、累積比率を計算しています。

さて、下記のグラフを見て、どんなことに気づかれるでしょうか。

図 **在庫データをABC分析してみると……**

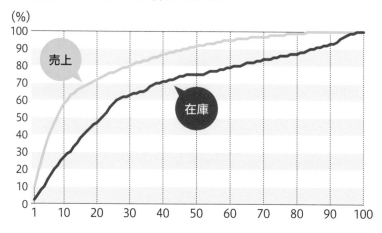

　まず売り上げと在庫の線はあまり似ておらず、線同士も離れてしまっています。

　これはあまりよろしくない事態です。「売り上げの状況と同じように在庫の状態を維持すべき」という原則からすると、２つの線は一致していることが望ましいからです。

売り上げのない商品の在庫を意識しよう

　もう少し細かく見てみましょう。

　グラフの左側、つまりよく売れている商品について、在庫の線は立ち上がりが弱くなっています。つまり、「売り上げ状況に応じた十分な在庫を持っていない」ことになります。

　グラフの右上を見ると、売り上げのラインは85アイテムのあたりから100％に張り付いています。

　一方、これらの商品について、在庫のグラフは動きがあります。つまり、売り上げの止まっている商品の「在庫を持っている」ことがわかります。

　販売実績データしか見ていないと、売り上げの止まった商品データは目に触れることがなく、問題を感じることすらできないかもしれません。

　でも、倉庫ではこの商品の在庫は存在しており、①売れる商品の効率的な配置を妨げている、②格納しきれず作業生産性を落としている、などの可能性があります。

作業・コストの両面から悪影響を抑える

　売り上げの落ちた商品の在庫は、作業効率優先のエリアから、保

管効率最優先のエリアへ移動させるといった措置を取りましょう。

　このような商品が大量にあるのであれば、通常の出荷作業に利用している倉庫に保管しておくのではなく「保管専用倉庫」などに移すことも考えられます。少しでも保管コストの安いところに移動し、多少値引いても売り切るチャンスを狙うわけです。

　作業・コストの双方から、極力、悪い影響を抑えるようにして、なるべく在庫を売り切る努力をしていきましょう。

　在庫処分を検討しなければならないタイミングが来てしまったら、あらかじめ決まっている処分ルールに則り、粛々と処分を行いましょう。

　処分の際には、アイテムごとに、なぜ売り切れなかったかを検証する必要があります。SKU数の管理が進んでいけば、１アイテムにかけられる時間が増え、在庫処分につながる事態の発生を抑えられるはずです。

波動の平準化に
サプライチェーンで取り組む

波動がムダを生む

　波動とは、作業量などの「ブレ」のことを指します。ブレがない状態をつくることを平準化と呼んでいます。

　物流現場のコストダウンには、平準化が大きな効果を生みます。逆に言えば、平準化されていなければ余計なコストがかかっていることになります。

　物流現場では、その日の作業量が予測できないという理由で、余裕をもった人員配置がされることが多くあります。実際の作業量が予想よりも少なかった場合、仕事がないヒマな時間が発生します。

　作業者としては帰るわけにはいかないので、職場で待機することになります。このような状態を「手待ち」と呼びます。雇用者側はこの時間分も給料を支払わなければなりません。そうすると、余分な人件費が発生します。

　反対に、予想よりも作業量が多ければ残業代の発生や、予定どおりに出荷ができずに車両を待たせることによる待機料の発生など、高速料金の負担が発生したりします。

物流の波動は自社だけでは消せない

　なぜ作業量の波動が生まれるかと言えば、顧客からの注文量にブレがあるからです。波動を消すためには、顧客の注文量を調整する

必要があります。

　もちろん、実需に波動があり、それに対応するためであれば、物流現場での波動もやむを得ないと言えます。例えば、店舗の近所で大きなイベントがあって弁当の需要がいつもの３倍見込めるというような場合、その日の弁当の発注量が３倍になるのは当然であり、対応すれば大きな売り上げにつながるでしょう。

　一方、大型連休に備え、生活雑貨品のキャンペーンをするといった場合、連休直前にいつもの物量を大幅に上回る納品をすべきでしょうか。

　過去の実績から、大型連休の直前には平常時の1.5倍程度の注文が見込めるとなると、スタッフや車両も1.5倍用意する必要があります。しかし、この「1.5倍」も確実ではなく、ブレがあり得る値です。余剰または不足の可能性もあるわけです。

波動への対応は割高な費用を生み、かつ生産性も低い

　現在、作業者も車両も調達しやすいとは言えない状況です。スポット的に調達するとなると、通常よりも高い調達コストがかかる可能性があります。

　また、スポットで調達した作業者や車両は、現場に不慣れなため教育コストもかかり、生産性も高いとは言えません。

　つまり、物量の波動を前提として、これに対応することは、高いコストを発生させるうえに、生産性が低いという非常に悪い状況を招くことになるのです。

　このような問題を回避するにはどうすればよいでしょう。発生した波動を是としてこれに対応するのではなく、波動を発生させない、あるいは波動を小さくする取り組みが賢い解決策となります。

納品側における平準化することの効果

　サンスターでは、出荷量を分析したところ、ブレを発見しました。調べてみたところ、このブレは、小売店の販売数量と必ずしもリンクしていなかったそうです。

　つまり、小売店で販売が多かった時にそれに対応して店頭へ在庫を補充したのではなかったということで、長時間残業して納品しても、小売店の売り上げアップとは関係がなかったということです。

　そこでサンスターでは、出荷量の上限を定めることにしました。連休前のキャンペーンのような特需に対し、従来のように注文に応じてそのまま納品しようとすると、連休前の数日に受注が殺到し、多くのスポット車両が必要な事態になってしまいます。

　そこで、注文が集中しそうな時期は、前もって受注を行い、注文量が上限を超えた場合には、前倒しで納品することにしたのです。

　これにより、サンスターでは、上限の量まではこなせる人員・車両を確実に調達しておけばよく、緊急対応を減らすことができます。

注文側における平準化することの効果

　平準化のメリットは納品する側にのみあるのではなく、注文する側にも生まれます。じつは、発注内容を決める部署と物流センターとでは、情報がしっかり共有されていない場合があります。同じ小売店でも、発注は営業部門が行い、物流センターでは、届いたものを受け入れるだけというところも多いです。発注は小売事業者の営業担当者、納品は卸の物流センターという場合もあります。

　発注量がふだんの3割増しになれば、必然的に物流センターへの納品量も3割増しになり、作業量も増すわけですが、物流センター

側へ「発注３割増し」の状況が伝えられておらず、人員が増強されていない場合があるのです。こうなると、大混乱が発生し、最悪の事態として、当該センターに格納しきれないという事態も発生します。

　大型連休前に物量が集中した物流センターでは、納品車両を８時間以上待たせたうえに、荷卸しされても格納できないという理由で「納品させずに車両を帰らせた」という事態もありました。納品量の上限が設定されていれば、このような事態の発生を抑制することができます。日持ちのしない弁当などと異なり、日用雑貨品や加工食品などは、どうしても「その日」に納品する必要はありません。

　制約の厳しい車両や作業人員の状況を最優先の条件とし、これに合わせた在庫の移動を行うよう、サプライチェーンとして対応していくことが物流の安定的な遂行につながります。

波動の前後の在庫管理

　出荷の波動は４種類あると第４章で解説しましたが、ここで述べた波動は「人が作り出す販促波動」にあたります。波動の後処理として、仮説の検証をしておきましょう。

　どのような仮説に基づいて発注を行ったのか、仮説は当たったのか。もし、欠品が発生していたら販売ロスがあったことになりますから、思い当たる原因を列挙しておきましょう。

　反対に余剰在庫が発生していたら、原因分析とともに、早期に余剰を解消すべく対応が必要です。

　平常時の出荷状況に合わせてシステムが用意した在庫と異なり、人が計画して調達した在庫ですから、人が売り切る努力をする必要があるのです。

第 5 章

在庫管理システムの
特徴と活用事例

情報システムを活用しよう

スピード・正確性で圧倒的に人より優位

在庫管理はアイテムごとに行わねばなりませんし、いつ、いくつ出荷し、入荷したか、今いくつあるか、発注残がないか、出荷可能であるか、これらのデータを正確に把握しなければなりません。そのためには膨大なデータを管理する必要があります。

リアルタイムにこれらのデータを把握できれば、欠品や過剰在庫を防ぐことにもつながります。例えば倉庫の保管棚に商品がなくても、入荷直後の商品の中から出荷すべき商品を探し出すことができれば、出荷に利用できます。

商品数が少なければ、人手に頼ってこれらのデータを管理することもできなくはありませんが、コンピュータや情報システム機器を活用した場合と比べると、どうしても間違いや遅れが生じてしまいます。在庫管理はExcelなどの表計算システムや情報システムを活用すべきと言えるでしょう。

在庫管理システムとは

「在庫管理システム」と呼ばれる情報システムは数多くあります。筆者としては、「在庫管理システム」は欠品がなく、過剰在庫も発生しない発注の量とタイミングを教えてくれるものであってほしいの

ですが、現実には必ずしもそうではありません。どの「在庫管理システム」にも共通しているのは「どの在庫がいくつ入荷し、出荷したか。今いくつあるか」がすぐにわかるという点です。

これにプラスして、発注推奨量を勧告してくれるもの、倉庫管理機能と一体化したもの、大規模倉庫でも活用できるもの、通販事業者に適したもの、得意な商材があるものなどの特徴があります。

他の情報システムとの連携の必要性

これらの在庫管理システムに対し、正確なデータを手間なく入力するためには、在庫管理業務の周辺にある情報システムと連携しているのがよいでしょう。

在庫管理システムは、入ってきたものと出ていったものを正確に記録することが必要ですが、なぜ在庫が入ってくるかと言えば「生産が完了した」「営業部が注文した」「顧客が注文した」のであって、「生産管理システム」や「仕入れ管理システム」には、そのデータがあるわけです。この情報がスムーズに流れてくれば、誰かが在庫管理システムに入力する手間は省けますし、再入力によるミスの発生も防げます。

在庫が出ていく情報にも同じことが言えます。「地方拠点から在庫補充の依頼があった」「顧客から注文があった」などにより、在庫は出荷されていきます。これらの情報は「拠点間在庫補充システム」や「販売管理システム」に入っているはずで、この情報を連携させれば、再入力の手間は省けます。

取引先が変わっても、データの連携がスムーズに行えるようなデータ形式であれば、連携の手間やコストを最小限にできます。最

近のインターネットをベースにした在庫管理システムであれば、この連携が簡単にできるようになっています。

情報化が早かった場合、逆に足かせになることも

目安として、2000年頃を目途として、それ以前に作られた基幹系システム（「レガシーシステム」と呼ばれます）を使っている企業の場合、他社システムと連携する際に大変な労力・コストがかかる場合があります。

社内の管理に利用するためのシステムであれば、社内のみで通じるデータ形式でも問題がなかったと言えますが、商品を販売するには、他社との情報交換が必須となります。

顧客に届くまでには、顧客の情報システムから注文データを受け取り、注文情報から在庫の引当を行い、在庫があれば出荷指示に切り替えるという情報処理が必要です。

経済産業省では、DXレポートの中で「2025年の崖」という表現を使っています。目安として、2025年を過ぎると、レガシーシステムのメンテナンスができる技術者も減るため、レガシーシステムに頼っている企業は、事業運営に支障が出るのではないかという警鐘です。

これからの情報化ならローコスト・短期間でシステム構築が可能

まったく情報システム化が遅れていたという企業は、インターネット活用を前提に、ローコストかつ短期間で情報システムの活用が可能になるでしょう。

基本的にはパッケージシステムを利用し、一部カスタマイズとい

う使い方が多数派になると思われます。データ連携を前提としたシステムなので、委託する物流事業者が変わったり、取引先が変わったりしても、データ連携に苦労することはあまりないはずです。

　この章では、いくつかの在庫管理システムを紹介しています。非常に多くのシステムがあり、全部は紹介しきれませんので、在庫管理システムとして持っていてほしい機能をあげ、その機能を持つシステムをひとつ紹介するという方法をとってみました。気になったものがあれば導入を検討いただくのもいいですし、紹介されている機能を参考に、他のシステムも検討し、より自社のニーズに合うものを探してみるのもよいと思います。自社開発のシステムに、よいと思った機能を取り込んで改善するのもよいでしょう。

システム会社の考え方も参考に

　フェアウェイソリューションズでは、需給・在庫の適正コントロールを行うソリューションとして、ϕ-Pilot Series（ファイパイロットシリーズ）を提供しています。

　同社のホームページでは、Excelによる在庫管理の課題と在庫管理システムを対比しての説明が行われています。

　これまでシステムを導入していなかったような会社がメインターゲットであることが推測されます。

　在庫管理にかかわる、よくありがちな課題に対して解決策が示されており、それらに対応したシステムが用意されています。今、Excelで在庫管理を行っているという担当者の方は、現在のExcelでの管理内容と比較してみてもよいでしょう。

　例えば在庫削減・在庫最適化を目指すためのポイントとして、次ページの項目が挙げられています。

❶ 適正な在庫水準の設定
❷ 出荷予測を考慮した発注方式への見直し
❸ 定期的な在庫異常の点検・追跡

　いきなり大きなシステム投資を行うのではなく、「まずは現状の
"発注点割れリスト" などの発注基準に着目しましょう」という呼び
かけも記載されており、「今はExcelで何とかこなしているのだけれ
どちょっと限界を感じてきた」という在庫管理担当者の悩みを大い
に軽減してくれそうです。
　言うまでもないことですが、在庫管理システムを提供している各
社のホームページでは、提供されているシステムや得意分野だけで
なく、その会社の考え方なども垣間見ることができます。
　自社と考え方が合いそうな会社が提供しているシステムを選ぶと
いうのも、有効な選び方だと言えます。

システム管理に適した品目を抽出する

RFM分析で品目を分類

　在庫管理システムを導入しても、すべての商品に適用できるとは限りません。セイノー情報サービスの在庫管理システムSLASHでは、まずシステム管理に適した品目の見極めから始めています。

　システム管理できる品目は、出荷に「繰り返し性があること」であり、これを見出すためにRFM分析の手法が用いられています。

　RFM分析とはRecency（最近の購入日）、Frequency（来店頻度）、Monetary（購入金額ボリューム）の3つの指標で顧客をランク付けする手法で、これを在庫品目の分析に活用しています。

図　取扱品目の特徴と在庫の持ち方

需要の繰り返し性（大〜小）／需要量（少量〜大量）

3類：定番品 頻繁／少量 期待の星／きちんと在庫管理	**1類：売れ筋** 頻繁／大量 とにかく欠品を出さない
4類：特注・マイナー品 時々／少量 なるべく受注生産・在庫ゼロ	**2類：キャンペーン品** 時々／大量 なるべく受注生産・在庫ゼロ

出典：セイノー情報サービスセミナー資料より筆者作成

219

1類、3類は安定的に需要があるので、過去の出荷状況から計算することでシステムに任せられる、2類、4類はまれにしか出荷されないので、システムに任せるのは危険であり人が判断すべきとされています。

繰り返し性をデータから見極める

　同システムでは、品目ごとに最終需要日、需要回数からポイントを算出し、その計算結果により、システム管理が適切かどうかを判断するようにしています。

　人の判断を介在させてしまうと、判断基準が曖昧になったり、判断自体に時間がかかったりするので、人は「基準の設定」のみを行い、基準が決まったら自動的に分類していくことが重要です。

図　繰り返し性分類の基準

ポイント	最終需要日
5ポイント	3日前までに出荷があった
4ポイント	7日前までに出荷があった
3ポイント	14日前までに出荷があった
2ポイント	30日前までに出荷があった
1ポイント	30日以内に出荷がなかった

ポイント	需要回数	出荷頻度の目安
5ポイント	30回以上	1週間に2回以上
4ポイント	14回以上30回未満	1週間に1〜2回程度
3ポイント	7回以上14回未満	2週間に1回程度
2ポイント	3回以上7回未満	1カ月に1回程度
1ポイント	3回未満	ほとんどない

最終需要日ポイント×需要回数ポイント＝需要の繰り返し性判断ポイント
出典：セイノー情報サービス説明資料より著者作成

　同社の説明資料では、この掛け算の答えが一定ポイント以上ならば「繰り返し性が高い」と判断するとされていますが、最終需要日や需要回数ともに、自社に合わせての設定が可能になっています。

　データを基準にすることで属人化から脱却し、発注業務の標準化・効率化が可能になります。

　このシステムは、過去出荷実績から品目ごとの需要動向を把握し、最適な発注点を算出すると紹介されています。無料トライアルがあるので、導入前に効果や使い勝手の検証が可能です。また、クラウド、オンプレミスの両方で提供されています。ちなみにオンプレミスとは、サーバーやネットワーク機器、ソフトウェアなどを自社で保有し運用するシステムの利用形態です。

需要変動が少ない商品が削減対象

　フェアウェイソリューションズでは、在庫品目の分析を行い、下記の図表の下半分、「金のなる木」「負け犬」が具体的な在庫削減の主要な対象であると言っています。

図 **商品特性と在庫の持ち方**

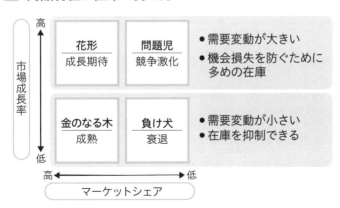

この考え方については、在庫管理・在庫削減のためのシステムとして「SynCAS PSI Visualizer」を提供している日立ソリューションズ東日本社でも同様です。

　「金のなる木」は、市場成長率は低いものの安定的に売れている商品で、販売量も多く、確実な利益源にできる商品群です。需要が安定していて必要な在庫量が読みやすいため、在庫削減に取り組みやすいと言えます。

　販売量が多いということは、在庫削減の努力が大きな成果につながりやすいということでもあります。「1日分」の在庫を削減するという場合にも、販売量の多い商品と少ない商品とでは、当然、大きな差が生まれます。

「負け犬」は補充しない管理

「負け犬」にあたる商品は、商品のライフサイクルとしては衰退期にあり、在庫を余らせることなく売り切りたい商品と言えます。

　もちろん在庫管理の対象ではありますが、欠品のないよう発注点が来たら補充するという管理は重要ではなく、逆に、在庫量が発注点まで減っても補充しない管理体制が重要です。

　在庫管理システムの活用においては、「負け犬」商品が出荷された場合に、通常在庫と同様に発注勧告が出されることに注意が必要です。「在庫処分」を狙って出荷したのに、在庫が補充されてしまっては元も子もありません。「負け犬」商品は推奨量が算出されないような切り替えを行うか、システムから発注勧告が行われたとしても、発注せずに在庫が減るのを待つべきと言えます。

「花形」は削減よりも欠品防止

「花形」に分類される商品は売り上げが伸びている商品群であり、在庫管理としては在庫量の削減よりも欠品防止・売り上げロスの防止のほうに注力すべきと言えます。

先に挙げた2社においても、「この分野の在庫は削減対象ではない」としています。

花形商品は、需要の増加に加え、販促のイベントなども実施され、過去データのみに頼った管理では欠品が発生するおそれがあります。在庫管理システムを利用しているのであれば、システムの計算ロジックを理解し、必要に応じて人の判断を加えることで、需要の変化により精緻に対応できるはずです。

システムによる発注推奨量を参考にしつつ、販促活動など、未来の需要増にかかわる営業情報を共有する体制を構築することが、在庫管理の視点からは理想的です。

この体制のもとでデータを蓄積し、検証を繰り返して仮説を磨いていくことで、在庫管理レベルが向上していきます。

可視化して実態をつかむ

在庫状況をさまざまに可視化する

　PSI Visualizerは、production（生産）、purchase（購買）、sales（販売）、shipment（出荷）、inventory（在庫）の状況を可視化するシステムで、日立ソリューションズ東日本が提供しています。さまざまな可視化ができるようになっており、どんな行動をとるべきかについての豊富な材料が示されます。大量の品目を扱っていても、迅速に処理できます。

　精緻な在庫管理を行うには大量のデータを必要としますが、数字だけでは実態がわかりません。適切な判断ができるような可視化された情報を見せてくれるシステムは、迅速な判断が求められる在庫管理にはありがたいものです。

　PSI Visualizerは、モニター上に一度に複数アイテムの在庫の動きを表示できるので、問題在庫を見つけやすくなります。

アイテムごとに将来の在庫状況も可視化する

　アイテムごとにグラフになっていることで、直感的に次ページのような問題意識を持ってデータを見ることが可能になります。

　例えば、在庫が増加傾向で、このまま同じ補充でよいかを検討したい時、この画面上でアイテムを選んでクリックすれば、そのアイ

画像 PSI Visualizerの画面

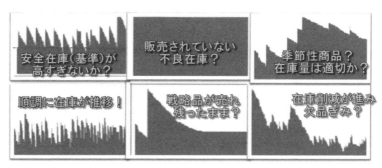

出典：株式会社　日立ソリューションズ東日本 HP より引用

テムの細かいデータを確認して、次の補充を早める必要があるかなど、正確な判断につなげることができます。

　また、出荷の見通しと生産予定から、将来の在庫状況を予測することができます。下記の図の場合、グラフ右側の「将来」の部分を見ると、在庫が少し過剰になっているようなので、生産を後回しにしたらどうなるかなど、マウス操作でシミュレーションができます。

画像 将来のシミュレーションが可能

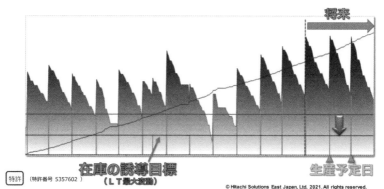

出典：株式会社　日立ソリューションズ東日本 HP より引用

検討内容により、データを月単位、日単位に切り替える

　下に掲載している図は、在庫の量について、時間の単位を変更したものです。上のグラフは日次のデータをグラフ化したもの、下のグラフは月次のデータです。吹き出しの中にあるとおり、日次グラフと月次グラフとでは検討できる内容が異なります。日次グラフでは、欠品の発生頻度や月内の需要動向などをチェックできます。月次グラフでは、月次の売れ行き状況、対予算比、季節性などによるさまざまな傾向をチェックできます。

画像 **可視化が判断を助ける**

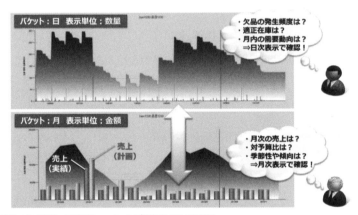

出典：株式会社　日立ソリューションズ東日本 HP より引用

　ある日用雑貨メーカーでは、このシステムの導入により経営層が在庫に敏感になり、市場に即応するため月次から日次へと管理単位を変更し、在庫の「鮮度管理」に活用しているということです。

発注の量、タイミングを計算で求める

発注推奨量が計算できる

日立ソリューションズ東日本が提供するSynCASでは、発注推奨量の算出が可能です。アイテムごとに、どの発注法を使うかを選択することができますし、需要予測システムと連携させて発注量を計算することも可能です。

需要の変化を踏まえて推奨発注量を計算してくれるので、システムに任せられるアイテムであれば、在庫管理担当者はほぼ手間がなくなるでしょう。

在庫管理担当者は、特売やセールのように、過去実績からは読み取ることができない将来の需要の盛り上がりについて、営業部門との情報交換などで、より精緻な予測を立てる時間が作れます。

このシステムを利用するとどのような在庫状況になるのか、実際のデータを用いて試算してもらうことができますので、効果を確認しながら導入を検討できます。

Excelを利用するなら属人的にならないような注意が必要

本書では、日数換算による発注量計算を紹介しており、シミュレーションはExcelで行っています。その意味ではExcelでも在庫管理が可能なわけですが、日常業務でExcelを活用していくことには少し注意が必要です。

柔軟な計算式の調整が可能なのはExcelの長所ではありますが、担当者が独自ルールで運用してしまうことは避け、「在庫管理は全社統一ルールで運用する」という原則を守ることが重要です。これは、在庫管理の失敗により損失が発生した場合にも、担当者個人の責任にしないという意味でも重要です。

　また、データ入力の手間の軽減やシステム間のデータの再入力を減らし、入力ミスを減らすといった工夫も当然ながら重要です。

独自の計算式が研究されている

　フェアウェイソリューションズのϕ-Pilot Seriesでは、従来の生産管理やERPではシステム化対象外であった「予定在庫」を日別に把握・可視化し、日々変動する需給バランスの適正コントロールをサポートする、と紹介されています。安全在庫も独自の計算式で最適に行うとされています。

　詳細な計算式は明らかにされていませんが、独自の計算式により、最小の在庫量を実現すると紹介されています。

　次回入荷可能日に、予定在庫が安全在庫量となるように発注量を求めるということですので、予定どおり出荷されれば安全在庫のみが残っている状態のところへ発注していた分が入荷され、在庫が復活する。このような形で、必要最小限の在庫で運営されている状態が実現できるシステムです。

　発注点は、前月1か月分から計算するとあり、若干対象期間が短いように思われますが、対象期間が短いということは、直近の傾向に忠実に在庫管理を行うことになります。

　他には、在庫の見える化、複数倉庫への適正配分、特売・催事に

対応した配分、賞味期限管理など、在庫管理における悩ましい課題が列挙されており、システムでの解決法が示されています。

φ-Pilot Seriesには、企業における市場への供給活動にかかわる課題について、ひととおりの解決法が用意されていると言えます。

クラウド型のサービスも試験的に用意されており、すぐに在庫管理システムを利用した発注活動を始めたい場合や、格安で利用したいという場合への対応が可能です。

需要予測は過去データをもとにする

日立ソリューションズ東日本では、需要予測を行うForecast Pro というシステムも提供しています。

基本的に２年分以上の出荷実績をもとに、今後の出荷量を予測します。販促などのイベント情報を加味することも可能です。

過去データのない新商品についても、類似品のデータを使うことにより、参考データが出せるそうです。

導入実績を見ると、システムによる予測が適用できる商品と、できない商品があるとされています。導入当初の仮説・検証の中で、適用できる商品パターンを見つけ出し、それらはシステムに任せ、それ以外は担当者側で対処する、というように、人とシステムで適切に役割分担することが有効であると言えます。

他の情報システムと連携させる

在庫管理システムとそれを取り巻く情報システム

　先に紹介したPSI Visualizerは、複数システムの集合体の一部で、企業の供給活動全体をサポートするようになっています。どちらかと言えば大企業向けでしょう。もちろん、システム単体でも使うことができます。

　日立ソリューションズ東日本では、これら在庫管理周辺のシステムと需要予測システム（Forecast Pro）など、供給活動をレベルアップさせるためのシステムを総称してscSQUARE（エスシースクエア）と呼んでいます。

　そのうち、需給計画とは、2年以上の長期の出荷状況から今後の売れ行きを予測したり、可視化されたデータを見ながら必要な対応を検討したりすることで、なるべく精緻な在庫補充ができるよう工夫するものです。

　供給計画とは、需給計画ソリューションにより求められた補充量を適切に生産するためのシステムです。こちらはメーカー向けと言えます。

セットでも、単体でも

　φ-Pilot Seriesでは、下記のように必要な機能を選んで実装できるように提供されています。

- 出荷予測
- 出荷予実異常
- 生産需要量計算
- 期間発注
- 移動指示
- 欠品・ロス警告
- 最適発注点
- 賞味期限監視
- 在庫俯瞰
- 月次在庫点検
- 発注計算
- Ｆ型安全在庫量

　自社に在庫管理システムがすでにあって、新たに必要な機能を持ったシステムとうまくデータの連携ができるならば、必要な機能のみを導入することでコストダウンできる可能性はあります。

　ただし、インターネット時代以前の情報システムが残っていた場合などは、データの連携に非常に手間がかかることはあり、過去のシステムにこだわらないほうがトータルとしてローコストで済む場合もあるようです。

　φ-Pilot Seriesの導入事例では、パッケージソフトをカスタマイ

ずすることで、「短期間の導入ができた」「作業の標準化・作業工数の削減ができた」といった声が寄せられています。

　賞味期限を複数のロットで管理するなど、業務が複雑になり、Excelからシステムに切り替えた事例では、食品ロスの削減と同時に欠品も削減されたと紹介されています。

　適切なシステム導入により、在庫管理の実現はもとより、データ入力の手間やコスト、ミスの撲滅など、在庫管理にかかわるさまざまな手間・コストも削減できることになります。

ネット通販事業者ではリアルタイムな在庫データが重要

　在庫管理は企業規模にかかわらず、リアルな商品を販売する事業者であれば必要な技術です。ただ「管理」というのはきちんと実施しなくても業務はできてしまうものなので、精緻に行われていない現場も多いと思われます。

　企業規模は小さくても在庫管理の必要性が高い事業者として、「ネット通販事業者」が挙げられます。

　なぜ必要性が高いかと言うと、ネット上で簡単に他の事業者と比較できるため、在庫がなければ顧客はすぐに別のサイトで買ってしまう可能性があるからです。

　ネット通販事業者は、楽天市場やアマゾンのようなモールや、独自サイト・リアルな店舗など複数のチャネルで販売しているところも多いでしょう。

　在庫管理システム導入の際には、複数のサイト・店舗も横断してなるべくリアルタイムな在庫管理ができることが必須の条件と言えます。新しい商品をデータとして登録していく際の容易さも重要な点になるでしょう。

データになっていれば連携も分析も可能

　ネット上に出品、販売（決済）、在庫の引き落とし、出荷という流れにおいて、データがなるべく分断されることなく、そして、人手を介さず流れるような仕組みを作るためには、販売や在庫を管理する情報システムと、物流現場を管理する情報システムとの連携がうまくいくよう選択することも重要になります。

　物流現場を管理する情報システムはWMS（Warehouse Management System：倉庫管理システム）と呼ばれます。ネット通販関連の物流・情報システムを得意とするロジザードでは、クラウド倉庫管理システム「ロジザードZERO」により多数の周辺システムとの連携を実施しています。

　ネット通販事業者向けの販売管理・在庫管理システムでは、ネット上でのさまざまな売り方に対応し、1つの商品をいくつものセット商品に展開できるなど販売管理については充実した機能を持っています。どんな売り方をしたいのか、今後の発展も考え、導入を決定されるとよいでしょう。

　一方で、「いつ、いくつ発注すれば欠品しないか」という発注推奨の機能はあまり重視されていないようです。この機能が必要な場合、別のシステムを導入することも考えられますが、ローコストで行いたい場合には、Excelなどを用い、自社で計算してみるのも1つの手段です。

　計算に必要なデータは、販売管理システム・在庫管理システムに蓄積されているはずですから、そのデータをダウンロードすればExcelで分析できるというわけです。

連携すれば時間、手間、間違い、すべてなくなる

　時間、手間、間違いのすべてに「間」という文字が入っていますが、情報システム間、企業間、部門間、これらの「間」もすべて大きなムダの発生源となる可能性があります。

　在庫は、供給元から仕入れ、社内では仕入れ部門から生産部門や物流部門に渡され、顧客へ届けられます。いくつもの「間」を超えていくので、いかにこの「間」をうまく渡っていくかが重要です。

　現物と同様、データも「間」をうまく渡っていかねばなりませんが、データは現物と違い、あたかも「間」がないかのように渡すことが可能です。システムを連携させることにより、人の判断や手間なしにデータが送受信され、処理できるということです。

　コマースロボティクスでは、ネット通販事業者に必要な情報システムをセットで提供しており（コマースロボ）、あらかじめ連携させたシステムとして提供しています。ソフトウェアロボットに業務を教え込むことにより、人による確認が必要だった部分にも自動で処理できる範囲を広げ、人手による作業を減らすことに成功しています。システムが連携しているということは、システム間でデータを移行するために人の作業も不要ということです。

　ソフトウェアロボットとは、実体のあるロボットではありません。パソコンの中で自動的に働く、いわばプログラムです。RPA（Robotic Process Automation／ロボティック・プロセス・オートメーション）とも呼ばれます。

　ロボットに行うべきデータ処理を覚えさせておけば、顧客からのデータを受信して自社のシステムに取り込んだり、自社の複数のシステムに対して必要なデータの割り振りを行ったり、といったことを自動的にやってくれます。

　比較的安価で導入が可能なので、広く導入を検討いただきたい技術の1つです。人による作業時間の短縮だけでなく、ミスの撲滅にもつながります。

低予算で導入できる
システムもある

在庫管理の最初の一歩は「正しい在庫データの把握」

第3章で「在庫管理は発注がすべて」と述べましたが、じつは、それが成功するための大前提として、「正しく在庫データを把握できている」こと、つまりコンピュータで処理できるデータになっていることが必要です。この状態が実現できていなければ何もできません。

適切な発注を行うためには、基盤となるデータが必要です。過去の出荷実績をもとに、傾向を読み、発注の量とタイミングを計算していくので、紙台帳の記録しかないという場合、分析のもととなるべき"過去データ"がないことになってしまいます。

紙台帳からは脱却しよう

もし、紙台帳に書き込む形式で管理している場合は、今すぐにでも脱却を検討してください。あらゆる改善にはデータが必要です。紙台帳では、データを分析しようとしたら、まずデータ入力から始めなければなりません。そのような状況だと、実質的に、改善の検討すらできないということになります。

また、紙台帳を使っている場合は、多くのミスやムダが発生していたとしても状況がわかりませんし、このために顧客からクレーム

が寄せられていたとしてもどこに問題があるかすらわからないため、改善すべき問題がわかりません。このような状況は、知らないうちに余計なコストがかかっている可能性があります。

　最近は非常にローコストで簡単に在庫データを把握できるシステムが提供されています。ぜひ導入を検討してみてください。

　例えば、手書きの伝票を使っての業務で、書き間違い・読めない・書き忘れ・商品間違い・計算間違いが多発し、結果として欠品も起こっていたという会社では、ZAICOが提供するクラウドの在庫管理システムzaicoを利用するようになって、従業員がとても楽になったそうです。残業時間も大幅に削減できるので、投資はすぐに回収できるはずです。

　zaicoはバーコードなどをスマートフォンでスキャンすることで、入荷・出荷・棚卸などができるようになっています。入荷・出荷を登録し、リアルタイムに在庫残高が把握できるようにするだけならば無料で使うことができます。

　現在、安価で利用できる在庫管理システムはクラウドで提供されているものが多くなっています。クラウドならば、1台の端末、1か所のオフィスからだけでなく複数の場所から、入力も閲覧も1つのデータベースを共有して行うことができます。これは、紙ベースでは到底できないことです。

　紙ベースで業務をしている方々には、ぜひこの "複数の場所から、複数の人が同じデータを利用できる" 環境を体験してみていただきたいものです。この体験をすると、従業員の意識が変わってくるはずです。

　導入事例でも、紙からシステムへの移行を嫌がっていた担当者ら

が、無料でできる在庫管理システムの入荷・出荷の登録に慣れてきたら、「有料版である発注機能も使いたい」と言ってきた事例がありました。

発注を支援する機能もある

zaicoでは、発注点が来た時にアラートを出して教えてくれる機能があります。アラートが出たらその旨をメールする機能もあります。

ただし、発注点は自分で設定しなければならないので、この時に過剰気味な発注点に設定してしまったり、過少気味な発注点に設定してしまうことはあり得るでしょう。適正な値にするには、少し試行錯誤が必要かもしれません。

コマースロボティクスでは、同社のWMS利用者ならば、そのデータを活用して発注推奨量を自動的に計算してくれるシステムを開発しています。発注推奨量の計算式は筆者が所属する湯浅コンサルティングがかねてより提唱している計算式を参考に構築されています。

アイテムごとにリードタイムや発注ロットなど、制約条件も設定できるので、かなりの業務を自動化することが期待できるでしょう。

第 6 章

これからの
物流と在庫管理

「物流危機」がやってくる

「物流」に押し寄せる課題とは

　近い将来に起こってくるであろう、また、もうすでに起こりつつある物流の課題をお伝えしたいと思います。これらの課題に対処するにあたり、在庫管理の重要性が高まると考えられるからです。

　ドライバー不足や脱炭素、SDGsといった課題がある中で、先進的な企業では、できるだけトラックの使用を抑えるために、「必要最小限の物流」を実現しようとしています。

　必要最小限の物流とは、市場動向に同期化した物流、生産のみの供給活動を行うことです。そこで要となる技術が「在庫管理」です。

　これができていないと、物流を必要最小限に絞り込むことができません。無理に在庫を絞り込むと大量の欠品が発生してしまいます。在庫を絞り込んでも、緊急生産、緊急補充の連続でコストが上がってしまっては無意味です。

　これまでは潤沢に供給されていたトラックやドライバー、作業者が不足し、制限がある状態になります。このような環境変化において、欠品のないよう供給活動を万全にするうえで、在庫管理の重要性はますます高まっていくでしょう。

物流危機とは

　まずおさえておくべきは「物流危機」です。アマゾンの当日配送からヤマト運輸が撤退したのが2017年でした。よく知られる2社が絡む話題だっただけに反響も大きく、ふだん物流に関心を持たない人が「物流危機」を知るきっかけになった"事件"でした。

　じつは「物流危機」は、今になってもまったく解決されていません。むしろ今後、より深刻になっていきます。物流危機はドライバー不足が問題の本質であり、そのドライバーは今後、だんだん減っていく状況にあるからです。

問題はBtoCよりもBtoB

　アマゾンや楽天の物流は「宅配便」の世界です。通販会社などから消費者へ向かうビジネスはBtoC（Business to Consumer）とも呼ばれます。宅配便では今や年間で約45億個も運ばれています。あまりにも身近なため、物流と言えば宅配便を思い描く方も多いようです。

　ところが「物流」の世界の主流はBtoB（Business to Business）と言われる企業間物流です。輸送形態が大きく違うので簡単に比較することは難しいのですが、物流全体のボリュームを10とすれば、宅配便は「1」程度と言われています。企業間物流のほうが圧倒的にボリュームが大きいのです。

　「宅配便」というのは1つの輸送商品です。ヤマト運輸の宅急便でも佐川急便の飛脚宅配便でも、基本的に同じ輸送形態です。集荷した貨物をターミナルで仕分けして方面別に幹線輸送に載せ、届け先

のターミナルで仕分けて配達します。

　宅配便は路線バスのようにスケジュールが決まっており、ユーザーの要望によってその都度サービスの内容が変わったりはしません。コンビニで荷物の発送を依頼する場合、「17時半を過ぎれば明日の発送」などと決まっています。

　2017年以降、ヤマト運輸は12〜14時の時間帯を時間指定の範囲から外しました。「ドライバーがきちんと食事をとれるよう配慮するため」と言われていますが、宅配便の場合、このように事業者側が自らの都合でサービス内容を規定できるのです。

　一方、BtoB、すなわち企業間物流の世界では、企業ごとに荷物の特徴や立地、スケジュールが異なり、それらに合わせた物流が行われるので、物流の形はさまざまです。そのため、無理やムダもさまざまなものが包含されることになります。

　そして、もし物流の現場に大きなムダがあったとしても、荷主が変えようとしなければ、そのムダは改善されません。例えば複数の届け先にみな同じ時刻で納品しなければならないとしたら、届け先の数だけ車両が必要になります。

　トラック１台ごとの積載量はすごく少ないかもしれません。これを解決するには、時間指定を緩和するような措置を荷主が取らない限り、改善はできません。

　「物流危機」を回避するためには、荷主が物流に関心を持ち、改善を検討する必要があるのです。

"2024年問題"から1運行は150km以内に

　2024年問題という課題があります。2024年４月以降、トラッ

クドライバーの残業時間に年間で960時間という上限が設けられ、違反した場合は6か月以下の懲役または30万円以下の罰金という罰則が科されることになったのです。

960時間と言っても、他の職種、産業では720時間が上限なので、相当長いと言えます。それでも、「ここまで短くするのはかなり大変」と言われるほどドライバーの労働時間は長かったのです。しかし、まだ長いままというドライバーも数多くいます。彼らの残業時間が960時間以内になるよう、改善をしていかなければならないのです。

残業時間960時間を12で割ると80時間。これは月間の残業時間の上限と言えます。この時間内に業務を終えるために必要なこととして、2つのポイントがあると言われています。1つ目は1日の拘束時間が11時間30分を超えないこと、2つ目は納品先までの距離が往復するなら片道150kmを超えないこと、です。

"2024年問題" から長距離運行が難しくなり、在庫拠点が増える

2024年問題は、トラック運送事業者の問題であると考える人もいるかもしれませんが、決められた時間しかドライバーが働けないということですから、トラックを使って輸送・配送を行っているすべての荷主が影響を受けることになります。

とくに、今、長距離運行をしている荷主は影響が大きいでしょう。

先に述べたように、日帰りできる距離は片道150kmが目安となります。これ以上の距離となると、ドライバーの二人運行か、泊りの運行となります。運賃はほぼ2倍請求されることを覚悟したほうがよいでしょう。出発地に日帰りで戻ってくる必要がない場合にも、

走行可能な距離はおよそ500km、運行前後の業務を考慮すると実質400〜450kmが限界ではないかと想定されています。

このような状況に対応し、在庫拠点を新設する動きがあります。元々長距離運行は嫌われており、コロナ前の需給がひっ迫してきた際など、運送事業者から「車が出せません」と断られる企業も出始めています。

在庫拠点が増える＝在庫管理すべき場所が増える

在庫拠点が増えるということは、それだけ在庫管理を必要とする拠点が増えるということです。新しい拠点で適当な在庫管理を行っていたら、あっという間に欠品が出たり、逆に過剰在庫になったりするなど、問題が続出します。

これまでベテランの在庫管理担当者が何とかやっていたという会社が、在庫拠点を増やすとなった場合は、そのような体制では回らなくなります。在庫管理の技術を社内ルールとして統一し、誰もが一定以上の管理ができるよう、システムなどを整備すべきです。

運送事業者に緊急対応してくれる余裕がなくなる

これまで荷主は「もし欠品が出たら緊急的に補充を行う」という対応を行っていました。この体制は、トラックはいつでも容易に調達できるという状態が前提になっています。

今後は、その前提は崩れます。2024年4月以降、ドライバー不足はさらに加速していくので、状況はどんどん厳しくなると考え、対応していくべきでしょう。

　今、片道150kmを超えていて、何も対策をとっていない荷主は、2024年４月になって、運送事業者から車を出すのを拒否される可能性もあります。あるいは年初は車両を出してくれるけれども、年度末近くには運送を断られるケースも出てくるかもしれません。

　待機や手積み、手卸しなど、負荷の重い作業があるような運行は、まず運送事業者から選ばれないと自覚し、対策を進めねばなりません。通常の輸送ですら受けてもらえない可能性があるわけですから、緊急輸送で車両が確保できる可能性はかなり低いと言わざるを得ません。

　欠品が発生しないよう、きちんと在庫管理を行うことも、荷主にとって必要な2024年問題への対応と言えます。

ドライバーの労働環境改善が日本を救う

　現在、国土交通省では物流の生産性向上を通じて物流を持続可能なものとするべく、法改正やガイドラインの策定を行っています。物流が持続可能なものでないと、部品が届かないことで、生産活動の停止などが起きないとも限りません。

　物流が持続可能であるための最大のネックは、ここまで書いてきたようにドライバー不足であり、これを抜本的に解決する策としては、やはり就労希望者を増やさねばなりません。そのためには、ドライバーの労働環境の改善が望まれます。

　現在、ドライバーは全産業平均よりも２割程度長い労働時間で、２割程度低い賃金となっており、ドライバーになりたい人を増やすのは簡単ではない状況です。

　報酬面だけを見ればよい条件とは言えない状態ではありますが、

他にはない魅力のある職業だとも言えます。例えば就業中に一人でいられる職業は限られていますが、ドライバーはほぼ常に一人です。運転が好きな人、あちこちに行くのが好きな人はもちろん、「人づきあいが苦手」「一人でいるのが好き」という人にとっては最高によい職場になる可能性もあります。よい点を見つけてアピールする採用努力も有効だと思います。

ドライバーの労働環境を改善し、ドライバーを志す人が増えれば、物流の持続可能性は高まり、日本国民の生活を支えるライフラインとしての物流機能も安泰となるでしょう。

そもそもの物流を減量する地産地消

ドライバーの労働環境改善により、物流の持続可能性が高まったとして、物流コストを負担する荷主からすれば、運賃は必然的に上がる方向になります。

日本企業の利益率は海外の先進企業と比較して低い場合が多いので、たとえ運賃単価が上がったとしても、実際に負担する運賃はなるべく下げたいものです。

先進的な荷主企業では、物流コスト低減のため、生産地と消費地の関係を見直す動きがあります。言ってみれば「地産地消」です。消費地に近いところで生産し、輸送距離を短縮すれば、運賃単価が上がろうとも支払う運賃は下げられるという考えです。

例えばビール業界がこの作戦を始めています。ビール業界では元々、新鮮なものを届けて価値を高めるという目的のために、地産地消が進められていたのですが、片道150kmを目安に、地産地消と在庫拠点新設を組み合わせるという動きがあります。

BCP対策のための在庫管理

BCP（Business Continuity Planning：事業継続計画）とは、災害などの緊急事態において、事業をなるべく円滑に継続させるための計画のことです。異常気象による自然災害や大規模システム障害など危機的な状況に遭遇した時に、損害を最小限に抑え、継続すべき業務を中断させず、早期に復旧を図ることを目的としています。「物流危機」とは異なるテーマですが、日本では2011年の東日本大震災をきっかけにその重要性が注目されており、危機対策という意味で、ここで少し触れておきます。

東日本大震災の直後から「サプライチェーンの分断により生産不能」といった事態が注目を浴びました。1つのメーカーが多くのメーカーに部品を供給していたため、被災地と遠く離れたメーカーでも部品供給が受けられず、生産ができなくなったのです。

このような事態を教訓として、「BCP対策としての在庫を積み増す」施策を行ったメーカーがあります。突発的な事故・異常気象などにより、輸送が滞ることはいつでもあり得ることです。そんな時でも在庫があれば生産を継続できます。もちろん、すべての在庫を積み増すようなことをすれば大変な過剰在庫になってしまいます。

危機的な状況であっても継続すべき事業があるかを検討し、「ある」と判断した場合は、その生産を行うために必要な在庫を吟味し、危機を想定して供給が滞りそうな日数を想定します。そこから必要な在庫量を計算し、BCP用の在庫として、通常の在庫量にプラスして在庫を積み増します。

リードタイム延長が物流を救う

リードタイムの短さがさまざまな物流のムダを生んでいる

リードタイムには、発注リードタイム、生産リードタイム、納品リードタイムなどいくつかありますが、指示を出してから実現するまでのタイムラグのことです。在庫管理とリードタイムとは密接な関係があります。

ここで話題にしたいリードタイムは、納品リードタイムです。顧客の注文を受けてから、何日で納品しなければならないかという時間（日数）です。納品リードタイムは最近までずっと短縮される傾向にあり、ほぼ限界まで短縮されてきたと言ってもいいでしょう。

日用雑貨や加工食品などの業界では、メーカーから問屋へはほぼ1日、問屋から小売へは1日以下（夕方頃の発注で翌朝納品）といったリードタイムが通常になっています。

しかし、これでは物流現場のさまざまな場所にムダが生じてしまうのです。

トラックの生産性が低い理由

リードタイムが短い現場では、使われる車両の生産性が低下してしまいます。車両の生産性とは、実車率（時間当たり、走行距離あたり）、積載効率、実働率です。

リードタイムが短いと、実際に運ぶべき量が確定する前に車両を

手配しておかなければなりません。「注文を受けてみたら運べなかった」では大変なクレームを受けることになるため、余裕を持って車両を手配しておくことになります。

　輸送量が確定したら、手配済みの車両に対し、どの車両が何を運ぶかを割り当てていきますが、ここで「何台か不要」ということがわかったとしても、キャンセルはできませんので、手配した車両すべてを使っていきます。当然ながら、低積載の車両が発生することになります。

　一方、余裕を持って車両を確保していたにもかかわらず、注文を締めてみたらもっと車両が必要だったことが判明することもあり得ます。その場合、短時間で車両を確保せねばならず、スポット車両を手配する手間の発生や、割高なスポット車両の費用発生につながります。

　積載率は、積載量÷最大積載量×100で計算します。当然ながら、高いほどよい評価となります。

倉庫の生産性が低い理由

　同じようなことが倉庫の作業者でも発生します。物量がわからないままで作業者を用意しているので、常に余裕を含んだ人員配置となります。ほぼ常に人員配置が過剰であるために、生産性が低下した状態となってしまっています。

　一方、想定よりも物量が多かった場合ですが、その事実がわかるのは受注を締め切った時なので、この時点で作業者を増やすことは不可能です。出荷に間に合わせるためには、今いる作業者を急がせることや、残業などによって対応することになります。そうすると、

ミスの誘発や余計な費用の発生につながります。

　１日のスケジュールという点で見ても、昼頃の受注締めまでは出荷状況が確定しないため、受注締め後に作業が集中し、働き手を十分に活用できていません。

リードタイムを伸ばすことで生まれる時間と効率化余地

　現状のリードタイムを１日延ばすと、車も人も状況が変わります。運ぶべき物量がわかってから配車できるため、積載率が向上し、車両台数を減らすことができます。当然、車両コストは下がります。

　朝から計画的な出荷作業が可能になり、１日を有効に使えます。出荷状況がわかったうえで人員配置ができるので、計画的に作業が進められ、手待ちもなく、作業の生産性を高く保つことが可能になります。当然、人のコストも下がります。

　出荷作業が計画的に行えるので、出荷時刻も一定に保つことができ、ドライバーを待たせたり、出荷作業を手伝わせたりといったことがなくなり、余計な残業を発生させずにすみます。

　リードタイムを伸ばすことによるメリットは、出荷する側だけでなく、荷受け側にも発生します。荷受け側でも「物量がわかってからの作業計画」を立てられるため、作業コストを下げることができるのです。

リードタイムを伸ばすことは荷受け側にもメリットがある

　リードタイムを伸ばすことは、荷受け側にとってはデメリットのように捉えられがちです。荷受け側、つまり発注者にとっては、「１日早めに注文内容を確定しなければならない」からです。

イメージしやすいように、例えばスーパーマーケットの店頭を思い浮かべてみてください。リードタイムの延長が検討されているのは、加工食品や日用雑貨のカテゴリーです。味の素やキユーピーでとくに研究が進んでいます。レトルトカレーや缶詰など賞味期限は数か月から1年以上と長く、店頭にもそれなりの在庫があります。「今日発注して明日届く」という体制でなくとも、店頭の商品の品質はきちんと管理することが可能です。

もし可能でないと言うならば、その小売店の在庫管理力は極めて低いと言わざるを得ないでしょう。過去データをもとに数か月先の買い物客のニーズを予測することは難しくても、「明後日までに必要な量」の計算はそんなに難しくないはずです。

図 翌々日納品は物流をどう変えるか

翌日納品
- ❶事前には物量がわからず、車も人も見込み手配
- ❷受注〆後に業務集中、残業発生

→

- ❶常に余裕を含んだ配車
- ❷にもかかわらず、スポット車両の手配や残業の発生
- ❸倉庫でも余裕を含んだ人員配置

翌々日納品
リードタイムを「+1日」
- ❶運ぶべき物量がわかってからの配車
- ❷朝からの計画的な出荷作業が可能に
- ❸出荷物量がわかってから人員配置
- ❹荷受け側でも入荷内容がわかってからの人員配置

→

- ❶車両台数の削減、積載率の向上
- ❷ドライバーは待機なし、残業なしで積み込み完了
- ❸センター作業者の計画配置・手持ち削減
- ❹荷受け側でも計画作業が可能に

納品側・荷受け側双方にメリットあり

「在庫が増えたり、欠品が発生したりすると困る」という声を聞くことがありますが、リードタイムを延長しても、回転している商品の入るタイミングが1日遅くなるだけなので、大きな変化はほぼありません。もし、欠品が発生した場合には別便を仕立て、緊急納品を行えばよいというのが納品側の考えです。

　すでにリードタイムを延長している小売店では、元々自動発注が行われていたため、リードタイムが延びた時にも、現場スタッフは「とくに意識することはなかった」そうです。

　荷受け側は、多少の意識の転換が必要かもしれませんが、本来行うべき在庫管理を実践することには、大きなデメリットはありません。リードタイムの延長によって、受け入れ作業を計画的に行えるようになりますから、コスト削減も可能になるのです。

シェアリングで在庫削減が保管コスト削減へ直結

保管スペースもシェアリングできる

　昨今、さまざまなシェアリングが盛んになっていますが、トラックの荷台や倉庫のスペースもシェアリングサービスが行われています。倉庫スペースはこれまで、年間契約、倉庫単位のように長期、大型の契約が一般的でしたが、これでは変化する物量に合わせて柔軟に対応することは不可能です。

　これまでは、在庫量が多くなっても対応できるように年間契約、倉庫単位で多めに確保しておくことで、それなりの保管コストを負担しても仕方がないという考え方でした。

　倉庫のシェアリングサービスは、soucoやWareXなどいくつかあります。サービス内容はそれぞれ異なりますが、「数週間だけ借りたい」「数パレットだけ置きたい」といった細かなニーズにも対応できるのが特徴です。

すぐに、短期間でも、必要な場所で倉庫が借りられる

　このようなシェアリングサービスが可能になったのは、もちろん、インターネットが基盤となっています。国としても、これらのサービスが物流コストの引き下げや、持続可能性につながるとして支援をしています。

　倉庫スペースを借りる側、貸す側の双方にメリットがあると言え

ます。

　借りる側は、これまでは「常に大きめ」に確保していた保管スペースを削減し、固定費を下げられる可能性が出てくるでしょう。「繁忙期には倉庫内にものがあふれ、作業生産性が落ちて困る」という話を聞くことがありますが、近所で保管スペースを確保し、短期間ものを逃がすことで、作業環境を快適に整え、生産性を高く保つことも可能になります。

　貸す側は、倉庫事業者です。倉庫事業者は、これまでは「長期・大スペース」で貸していたので、小さなスペースが空いていても、そこが収益源になることはありませんでした。

　シェアリングサービスで貸し出す場合、小さなスペースを求めている荷主もいるので、そのようなニーズと結びつけば、これまでには期待すらしていなかった収益が生まれることになります。

保管スペースの大きさを柔軟に調整できる

　保管スペースが固定的であれば、中の在庫量が増減しようともコストは変わりません。

　しかし、在庫を必要最小限に管理するために、シェアリングサービスを効果的に活用すれば、保管スペースを削減できる可能性が出てきます。

　必要な最大限のスペースを確保するのでなく、平均的に必要なスペースを確保しておく。そして、必要が生じれば、その時点でスペースを確保するという動きがとれるからです。

膨大な在庫問題： 食品ロス522万トン

企業からも家庭からも大量の廃棄

　食品ロスとは、本来食べられるのに捨てられてしまう食品のことを指します。日本における食品ロスは2020年度で522万トンに上ります。家庭から捨てられるものが247万トン、メーカーや小売店、外食産業などから捨てられる事業系のものが275万トンとなっています。

　膨大すぎて想像が難しいですが、この数字は国民一人が毎日ご飯１杯分くらいを捨てているような量に相当すると言えるそうです。

　食品ロスは、「食品」の在庫管理がうまくいかなかったことにより発生したものと表現することができます。需要以上の食品の在庫を抱えてしまい、「消費が追いつかず品質が劣化してしまった」「好みが変わった」「関心を失った」などの理由により廃棄が発生します。

　需要に合わせた調達を行う在庫管理は、企業だけでなく家庭でも求められます。値引きされていたからと言って消費しきれないほどの食品を購入するような行動は、ロスにつながりかねず、在庫管理という視点で考えると望ましくありません。

　大量の食品ロスについては日本政府も危機感を持ち、原因究明に取り組んだところ、事業系の食品ロスは在庫管理のスキル以前に、

商慣習に大きな問題があることを発見しました。

　このため農林水産省により2012年から「食品ロス削減のための商慣習検討ワーキングチーム」が発足し、「3分の1ルール」と言われる納品期限や賞味期限の表示などについて検討が行われてきました。

　今では納品期限緩和を実施する小売店もかなり増えており、イオン、イトーヨーカ堂、カスミなどの大手チェーンストアでも、すでに「2分の1ルール」へと納品期限緩和を実施しています。

　これらの取り組みの状況は、農林水産省のホームページ（商慣習検討）でも閲覧できます。取り組みを始めた2012年度の食品ロスは年間642万トン、そこから2020年度の522万トンへと、着実に食品ロスの削減が実現されつつありますが、さらに削減を進めていくべきでしょう。

3分の1ルールの改善

「3分の1ルール」というのは単なる商慣習ですが、在庫管理上きわめて大きな問題をはらんでいます。これは、小売店への納品は、賞味期限までの3分の1の期間中でなければならないということで、例えば、賞味期限が6か月後の商品の場合、製造から2か月以内に小売店に納品しなければなりません。この期間を過ぎたら商品が行き場を失い、廃棄される可能性もあるというものです。

　現在、「2分の1ルール」への納品期限の緩和が進められており、改善が進んでいるとも言えますが、ヨーロッパでは「3分の2ルー

ル」となっており、まだまだ緩和できる余地があるとも言えます。

　また、販売期間中であっても、賞味期限が近づいたら早めに店頭から撤去する小売業もある一方、それでは食品ロスにつながるため、賞味期限ぎりぎりまで店頭で販売すべきという考えも提示されています。

　2017年度京都市社会実験によれば、消費者の行動を見ると、賞味期限までの日数が短い商品でも、適切な値引きがされていれば、十分、購入の選択肢となっており、廃棄が削減されることが実験から裏付けられています。

賞味期限の年月表示

　よく知られているように、加工食品・飲料などの業界においては、賞味期限の年月表示への切り替えが取り組まれています。

　製造日が異なれば物流上は "別の製品" と言ってもよく、倉庫内でも別に保管される必要がありますし、輸送時にも区別する必要があり、物流の効率を下げる原因となります。

　また、商慣習上「日付の逆転」が許されていないという事情もあります。例えば1年以上の賞味期限が残っている商品であっても、昨日納品された商品の賞味期限が「2023年9月2日」で、今日納品しようとした商品の賞味期限が「2023年9月1日」であった場合、今日の納品は拒否されてしまいます。トラックはせっかく運んできた商品を持ち帰らなければなりません。

　もちろん、後から届いた商品が新しいものであることは望ましい

ことではありますが、実際には品質上、何ら問題はないはずです。日付の逆転を許さないというのは、法律で決められたことでもなく、ただの慣行です。

　年月表示にすれば、前記の商品「2023年9月1日」「2023年9月2日」の賞味期限はいずれも「2023年8月」の表示となり、納品に問題は起こりません。

　年月表示になると「賞味期限が引き延ばされるのではないか」と疑心暗鬼になる人もあるようですが、上の例のように月の途中であれば切り捨てて前月の表示になるので、むしろ実質上の賞味期限は短くなります。

SDGs、カーボンニュートラルと在庫

SDGs対応と物流危機対応は両立できる

2015年、SDGsが国連で採択されました。SDGsとは、「持続可能な開発目標」と訳され、17のゴールと169のターゲットからなり、法的義務はないものの、SDGsに則っているかどうかが取引の条件になることもあります。

欧米企業はSDGsに熱心な企業も多いため、欧米企業との取引が多い企業や、欧米企業との取引が多い日本企業と取引があるような場合、対応が求められるかもしれません。

SDGsへの対応と言うと、環境によい資材への切り替えや、再生エネルギーへの切り替えなど、多大なコストアップにつながってしまう施策も多くあります。

しかし、物流においてSDGsへの対応を考えると、コストダウンにつながる施策であることも多く、かつ、物流危機への対応にもなることが多いため、積極的に対応を進めていくべきと言えます。とくに「在庫」については、売れ残った場合の処分の問題など、経営的にもSDGs的にも最小限に絞り込むことが求められると言えます。

カーボンニュートラルと在庫

カーボンは「炭素」、ニュートラルは「中立にする」という意味で、カーボンニュートラルとは、「温室効果ガスの排出を実質ゼロにす

る」ことを意味します。ただ、温室効果ガスの排出を完全にゼロに することは現実的に難しいため、排出量から温室効果ガスを吸収ま たは除去した量を差し引いて、全体としてプラスマイナスでゼロに するという考え方です。

「在庫」を生産する際にもエネルギーを使います。「在庫」が生み出 された後は、移動するにも保管するにもエネルギーを必要とします。 「在庫」は、そのライフサイクルの間中、エネルギーを使い続ける ものと言ってよいでしょう。

さらには、もし売り切れずに処分することになったら、ここでも 処分にかかわるエネルギーを消費することになります。在庫は必要 最小限の量にして、移動などの動きは極力減らし、なるべく売り切 ることが非常に重要なのです。

絶対に減らさなければならない在庫処分

在庫を生み出し、保持することにはエネルギーを使います。ムダ な在庫を持つことは環境問題の面から考えても大いに問題です。

同時に、当然ながら在庫処分は企業経営の問題でもあります。在 庫を生み出し、持つことにはコストがかかりますが、処分にもコス トがかかります。マイナスにしかなりません。

在庫処分を減らすにはどうすればよいかと言うと、対策は非常に シンプルです。作り過ぎをなくせばいいのです。作り過ぎをなくせ ば、生産段階で消費するエネルギーを減らすこともできます。

アパレル業界を例にとると、Tシャツを1枚作るのに、3000ℓ もの水が必要とされるそうですが、これだけのエネルギーを使って 生産されたものが、万が一にも処分されてしまうようでは、あまり にももったいないでしょう。

在庫管理不要の売り方＝予約

　ケイミーという婦人服ブランドでは、決して値引きをしない方針で販売をしていますが、唯一、値引きされることがあります。新商品の「予約」のタイミングです。

　予約を受けて生産するということは、確実に売れることがわかっているので、在庫管理の視点からは最高によい管理状態です。つまり、「見込みの在庫管理不要」の状態です。

　シーズンの終わりに値引きされている商品は、鮮度の点で顧客にとってベストな選択肢とは言えません。ケイミーの施策では、顧客は新しい商品を安く手に入れられますし、企業側も確実に売れることがわかっている商品を生産・販売する状態になるので、双方にとって嬉しいWin-Winの仕組みだと言えます。

　予約数から販売総数を見込むことができれば、より確実な在庫管理につながると考えられます。実際、衣料廃棄ゼロを継続しています。買い物客にはさまざまな個性があり、「予約で買う層」と「実物を見て買う層」の違いもあって、必ずしも「予約が多い＝販売総数が多い」とはならないようですが、多くのデータが蓄積されていく中で、より精緻な分析も可能になっていくでしょう。

余計な生産を減らすべく在庫管理の精度向上

　どうやって「売れる数だけ生産する」か。ここでも在庫管理のスキルは活きてきます。

　過去の出荷動向や計画された営業情報など、有効なデータをすべて活用して必要数を予測し、生産量を管理するのです。データがあれば、商品のライフサイクルに沿った分析も可能になります。

「天候にかかわるデータが食品の売れ行きの予測に役立つのではないか」という仮説が非常に有効だったとの実験もあります。消費期限の短い商品では、予測精度の向上が大きな価値を生むでしょう。

　メーカーの情報だけでなく、問屋、小売の販売情報も活用すれば、市場の販売動向をより正確に予測できる可能性もあるでしょう。

　今後、情報システムはさらに進化し、大量のデータを瞬時に分析できるようになっていくでしょう。精度向上のためには、分析すべき材料がたくさんあることが前提条件です。

　つまり「過去データ」は宝の山ということです。今からデジタルデータの蓄積を始めておきましょう。

トラックも倉庫も人もムダにしない

　エネルギーをムダにしないという意味では、作り過ぎを防ぐことだけでなく、在庫の輸送に用いるトラック、保管に用いる倉庫についてもムダにしない発想が必要です。働き方改革、2024年問題などを考慮すれば、そこで働く人の時間もムダにできません。

　物流コスト管理では、「物流業務が効率的に行われているか」も重要ですが、同じくらい、もしくはそれ以上に「そこで動かされている在庫は市場に求められているものか」という視点が重要です。

　生産または仕入れて保管し、大切に出荷した商品が販売もされず、届け先の倉庫で何年も寝ているようでは、供給に携わった人々の苦労や時間がすべてムダだったことになってしまいます。

　在庫管理をきちんと行うことで、トラックで輸送するもの、倉庫に保管するもの、倉庫内で人が動かすもの、これらすべてが最終ユーザーの手元まで届き、活用されるようになるよう願っています。

巻末資料

会社名

システム名
URL

コマースロボティクス

コマースロボ
https://www.commerce-robo.com/index.html

ZAICO

zaico
https://www.zaico.co.jp/

セイノー情報サービス

SLASH
https://www.siscloud.jp/logistics-it-cloud/solution/slash/

日立ソリューションズ東日本

scSQUARE（関連システムの総称）
https://www.hitachi-solutions-east.co.jp/products/scsquare/

需要予測・発注計画ソリューション「SynCAS」
https://www.hitachi-solutions-east.co.jp/products/synapsesuite/syncas/index.html/

需要予測 Forecast Pro
https://www.hitachi-solutions-east.co.jp/products/synapsesuite/forecastpro/index.html/

SynCAS PSI Visualizer
https://www.hitachi-solutions-east.co.jp/products/syncas_psi/index.html/

フェアウェイソリューションズ

φ -Pilot Series（ファイパイロットシリーズ）
https://www.fw-solutions.com/

ロジザード

ロジザード ZERO
https://www.logizard-zero.com/

【著者紹介】

芝田　稔子（しばた・としこ）

◉——株式会社湯浅コンサルティング　コンサルタント。

◉——早稲田大学人間科学部卒業後、株式会社日通総合研究所に入社。官公庁関連の調査研究、物流事業者及び荷主企業を対象としたコンサルティング業務に従事する。物流ABC導入、在庫管理導入については、この頃より現在に至るまで継続して取り組んでいる。2004年4月、日通総合研究所を退職して現在に至る。物流危機対応、SDGsなどをテーマにした講演活動も多い。

◉——共著書として『最新在庫管理の基本と仕組みがよ～くわかる本（第3版）』（秀和システム）、『物流危機の正体とその未来』（生産性出版）、『図解でわかる物流とロジスティクスいちばん最初に読む本』（アニモ出版）などがある。

手にとるようにわかる　在庫管理入門

2023年1月16日　　第1刷発行

著　者——芝田　稔子

発行者——齊藤　龍男

発行所——株式会社かんき出版
　　　　　東京都千代田区麹町4-1-4 西脇ビル　〒102-0083
　　　　　電話　営業部：03（3262）8011㈹　編集部：03（3262）8012㈹
　　　　　FAX　03（3234）4421　　　　　　振替　00100-2-62304
　　　　　https://kanki-pub.co.jp/

印刷所——ベクトル印刷株式会社